国家出版基金项目
NATIONAL PUBLICATION FOUNDATION

《三联经典文库》

第二辑

2012 年国家出版基金项目

三联经典文库

171

妇女问题讲话

杜君慧　著

生活·讀書·新知 三联书店

图书在版编目(CIP)数据

妇女问题讲话 / 杜君慧著. -- 北京 : 生活·读书·新知三联书店, 2014.1

（三联经典文库第二辑）

ISBN 978-7-108-04680-2

Ⅰ. ①妇… Ⅱ. ①杜… Ⅲ. ①妇女问题－研究 Ⅳ. ①C913.68

中国版本图书馆CIP数据核字(2013)第247397号

171 妇女问题讲话

责任编辑　曹明明
封扉设计　蔡立国
责任印制　郝德华
出版发行　生活·讀書·新知 三联书店
　　　　　(北京市东城区美术馆东街22号)
邮　　编　100010
经　　销　新华书店
印　　刷　北京鹏润伟业印刷有限公司
版　　次　2014年1月北京第1版　2014年1月北京第1次印刷
开　　本　787毫米×1092毫米 1/32　印张 7.5
字　　数　102千字
定　　价　27.00元

《三联经典文库》出版缘起

适逢生活·读书·新知三联书店八十华诞，为弘扬传统，接续文脉，回报读者，服务社会，我们决定策划出版《三联经典文库》。

1932年7月，生活书店在上海创办，此后，读书出版社和新知书店相继成立。本文库第一辑、第二辑所选图书，来自于这三家出版单位及其分支机构，以及1948年生活·读书·新知三联书店成立后的出版物，始于1932年，截至1951年，两辑各一百种。此为第二辑，涉及政治、经济、社会、军事、思想文化诸领域，涵盖专著、文集、散文、小说、诗歌、传记、报道等体裁，既有直面现实、追求真理、讴歌真善美、抨击假恶丑的原创作品，又有引介世界各国先进文化、传播新知、开启民智的迻译之作，真实记录了那一代知识分子的思考与探索、理想与愿景和对中华民族文化传承与创新所做出的努力与贡献。

本文库所辑入各书，多为名家名作，在版本方面，以初版一印本或经著译编者审定、修订、增订过的版本为首选，因此本文库又具有较为珍贵的版本价值和收藏价值。

本文库还将编选续辑，使之成为恢弘文化工程。诚挚希望读者给予批评和指正，帮助我们完善编选工作，再现三联经典作品之风采。殊为遗憾的是，由于年代久远，一些原著译编者及其后人未能取得联系并奉付稿酬，诚盼版权所有者与我们联系。祈愿三联前辈所创造的精神财富能薪火相传，为中华文化的伟大复兴增光添彩。

《三联经典文库》编辑委员会

2013 年 8 月

凡　例

一、本文库为重排本，由繁体字竖排版改为简体字横排版。

一、以忠实于原作、整旧如旧为编辑原则，对当时使用的专有名词、外文译名，以及民国时期的语言和特色予以保留。

一、原书注释如旧，编者所出的注释，均以“编者注”标明，以示与原书注释的区别。

一、对原书残缺或字迹漫漶之处，以□示代。

一、对繁简文本转换时的“如右”、“见左”一类，对应改为“如上（前）”、“见下（后）”。

一、对原书中各种错讹脱衍之处，直接订正，不再以其他符号标示。

一、对数字、标点符号的用法，在不损害原文语义的情况下，做必要的规范。

一、本文库各书均前插原书书影、原书版权页和文库版“本书出版说明”。

一、本书出版说明的撰写，以客观中立为原则，扼要介绍本书的内容、版本流转、著译编者的情况。

本书出版说明

本书以马克思理论为指导，系统地论述了“妇女问题”，通过分析先史时代、奴隶制社会、封建社会、产业革命之前、资本主义时代、帝国主义时代的妇女在政治、经济等方面的生活状况、社会地位和待遇，揭示了妇女问题之所以成为问题的历史原因，并指出了财产私有制度和阶级支配的存在，是妇女问题存在的根本原因，妇女问题由此成为“社会问题的一环”。通过对前苏联的妇女、妇女解放思潮和妇女解放运动史的描述，梳理了妇女运动的历程，并结合中国的妇女问题，指出中国近代妇女运动的发展道路，在于鼓励妇女继续斗争，以取得美好的未来。

本书于 1946 年 8 月由新知书店在上海初版；12 月收入“新知丛书”，出版了沪版本。1947 年 3 月在大连出版第一版。1949 年 7 月由新中国书局在香港再版。此次出版即以 1946 年沪版本为底本。

杜君慧（1904-1981），笔名卢兰，广东人。1924 年考入广东大学，是广东省最早的女大学生之一。1928 年加入中国共产党，是左翼作家联盟的成员，从事写作和翻译。“九 · 一八”之后开始研究妇女问题，从事妇女解放运动，在《申报》的副刊《妇女园地》上发表多篇杂文。抗战时期，致力于战时儿童保育和抗日宣传工作，创办《职业妇女》月刊。建国后，历任北平女二中学及第六中学校长。当选第一届全国妇联候补执委，是中共“八大”代表，第一、二、三届全国政协委员，第四届广东省政协常委。著有《中国妇女解放运动史》等，译作有《国家与阶级》和《教育病理学》。

生活 · 读书 · 新知三联书店

2013 年 8 月

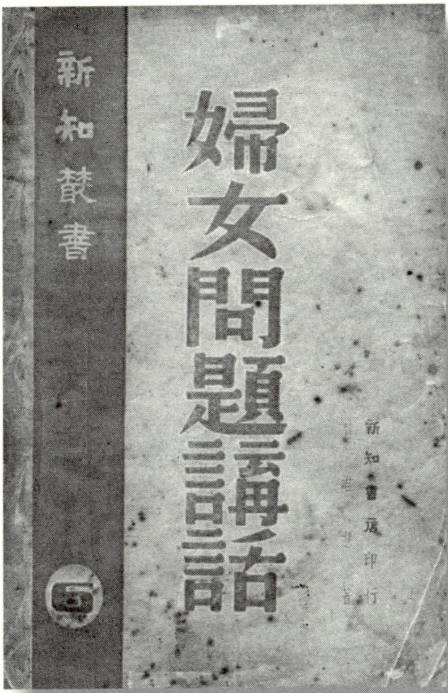

新知书店 1946 年 12 月沪版书影

新知叢書
6
婦女問題講話

著者 杜君慧
出版者 新知書店
上海·重慶
經售者 聯營書店
漢口·成都·重慶

中華民國三十五年十二月滬版

原书版权页

目次

第一讲　研究妇女问题的意义

第一节　妇女问题的概念

所谓妇女问题，简单说来，就是怎样把妇女从政治的，经济的，社会的，各种束缚底下解放出来的问题。换句话说，就是如何使妇女获得在政治上，经济上，社会上和男子完全平等的地位的问题。它包含了妇女的参政问题，法律问题，教育问题，职业问题，劳动问题及母性保护问题等等。不过这些问题，决不能够离开了整个社会经济结构而单独解决；所以妇女问题必然同时还要关联到整个社会经济问题。

妇女问题之所以成为问题，自然有其历史的原因。

在历史上看来，自从原始的氏族共有制崩坏和财产私有制发生的时候起，人类社会便发现了贫富贵贱，主人和奴隶等不平等的现象。同时，占人类半数之妇女也就失去“人”的地位，而成了给男子任意支配的一种奴隶。这种现象，特别在封建社会里，表现得更为显著。在封建时代，妇女对男子的隶属关系，正如农奴对领主的关系一样，已经不是人对人的关系，而是人对一种物件的关系。就是说，男子对妇女，好像人对一头牛或一张椅子一样，可以随意使用，随意抛弃，随意毁坏！到了“文明”的资本主义社会，男女的隶属关系在所谓自由平等的幌子底下表面上似乎缓和了些，但是，事实上妇女仍然成为男子的抑压，玩弄，侮蔑的对象。这样看来，妇女被压迫的事实，早在氏族共有制崩溃以后便已存在，因此，所谓妇女问题，是跟某种社会制度的存续而存续，而不是偶然发生的。不过，到了资本主义的勃兴时期，才由近代的市民阶级把它提出来罢了。

当市民阶级在封建社会的废墟上建筑了近代的产业都市，而和封建势力对峙斗争的时候，的确提出了许多值得注目的问题。例如政治上的民主问题，教育权平等问题，职业自由问题，农奴解放问题乃至妇女解放问题等等。但是这些问题的提出，也就为了适应资本主义自身的生长与发展。因为资本主义的生产方法本身，正是需要这些问题的解决。

可是，资产阶级所要提出解决的妇女解放问题，也和它的政治的民主问题同样是不能够彻底地予以解决，例如妇女的参政问题，教育问题，职业问题等等，在最进步的欧美诸资本主义国家还仍然没有得着根本的解决，男女在社会上的地位仍有天壤之别。这理由很简单，就是因为市民阶级虽则打倒了不合理的封建社会，但它自身却也制造出不合理的社会制度来。在不合理的社会里，公平、合理的事情是绝对不会存在的。

资本主义进到帝国主义的阶段，关于妇女解放问题引起了本质的变化，尤其在欧战后，各资本主义国家女工的数目一天天增大起来，她们在劳动运动上表现出伟大的力量，于是在从来的妇女运动里面，发生了阶级的分化，结果发生所谓劳动妇女的解放运动，而和中产层知识妇女的男女同权主义运动对峙。他方面，在苏联建立了社会主义的国家，建立了男女真正平等的新社会，把资本主义国家所不能解决的妇女问题加以根本的解决，给全世界妇女们以极深刻的兴奋与刺激。于是妇女问题的意义，便由女性对男性的解放问题，扩大到妇女对社会制度的解放问题。

现在许多改良主义的妇女运动者，都以为妇女在现存状态下也可以获得和男子完全平等的社会地位，但这是一种梦想而已。自然，在现社会里，少数上层妇女是有受高等教育，或就高级职业，或更参加到高级的政治机关之可能，但这和整个妇女的解放是没有关系的。

我们以为要解决妇女问题，第一要解除妇女对男子的社会的从属关系，第二解脱妇女对男子的经济的隶属关系，但这两种关系的解脱，在男子中心的社会制度底下是不能彻底实现的。因此妇女解放运动，必然的汇合到改变不合理社会而建设新社会的运动中去。因为只有这样才能得到妇女的根本解放！

第二节　怎样研究妇女问题

有些人以为在中国，妇女问题的研究已经不少了，关于它的理论已经很够了，剩下来的只是实践。这未免是过甚其辞的偏见！假使说“只剩下实践”，那么，“理论”亦仍然跟“实践”同样剩下着！为什么？因为离开实践的理论是观念论者的空谈。所谓“理论”只能在实践中生长、发展的呀！

在中国，关于妇女问题的理论，固然不少，而且其研究已有数十年之历史，但过去的理论，也就是过去的妇女运动的实践所产生出来的东西。我们要晓得，所谓实践是跟着历史的发展而发展，它是不断的转换其方向的，所以过去的理论，未必就能完全适合于现在的实践；反之，现在的实践却也能产生出适应于现实的新的理论来！

很显然的，现在许多妇女运动者，还保持着“五四运动”时代的关于妇女问题的见解。就是说，她们仍然梦想着在现存状态之下，要使妇女获得和男子完全平等的社会地位，而且她们确信有这个可能。她们以为，虽则在现状下，但妇女能获得参政权，教育权，职业权等等，则不难在社会上和男子并驾齐驱。这种见解，不免是自欺欺人的谬见。“五四运动”以来，我们是经验了一九二六——一九二七的惨酷的大革命，到现在，更经验着所谓复古运动的逆浪侵袭到我们妇女身上的可怕的危机。在这种时代的转变中，我们可以很明显的看出，男子中心的社会所给予妇女的一些权利，就是等于好看而不好吃的画图中之苹果。

中国的妇女运动，原是在一九二七年大革命以后已经有了本质的转变。许多前进的妇女运动者，早就放弃了狭义的女权主义或男女同权主义，而把妇女问题当作社会问题的一环，更进一步，要从整个社会的变革中去求得妇女问题的解决，这是值得注目的一个转变。可是，关于这一方面的理论的研究，是很缺乏。在市面上流行的许多关于妇女问题的书籍中，最值得介绍的只有倍倍尔的《妇人与社会》和奥姆苏的《妇女问题讲话》等数种读本，此外虽有些较有价值的关于妇女问题的论文，但这些都只能说明妇女问题的一方面，没有整个的统一的把它解析明白。这样看来，妇女问题的研究，在中国已经进到了新的阶段，而关于这一新阶段的理论的研究，无疑的这是异常需要！

妇女问题的研究，也和研究其他一切社会问题一样，必须应用唯物辩证的方法才能得到正确的认识。因为只有它才能阐明事物的本质，及其生成与发展的过程。同时我们必须站在史的唯物论的见地去观察妇女问题，因为只有这样才能正确的认识妇女在各时代各社会的生活情形，以及妇女被男子抑压的原因与结果。

研究妇女问题的人，常常碰到两种难于说服的论敌。其一是现象论者，他们好像古代希腊的哲学者把奴隶当作天生的贱骨一样，把数千年来妇女在男子支配底下所强迫负担的家庭奴隶的任务，看作应当如此的“天职”，而对于男子的支配要给以一种理论的根据。其二是自然主义者，他们站在生物学乃至生理学的见地，来说明妇女的劣等地位的由来。他们，也和现象论者同样，把妇女在数千年来男子支配底下被驯养而劣弱化的生理现象，当作天赋的弱者的特性，而将妇女的劣等地位使之合理化，企图男子中心社会的恒久的存续。但这些“理论”都在史的唯物论的光芒之下，毕竟暴露出它的原形来！

第二讲　先史时代的妇女

第一节　人类的起源与演进

记得在几年前，美国发生所谓猴子案，喧动一时。这所谓猴子案者，就是一位“不识时务”的教授在某学校教授达尔文的进化论，说人类的祖先是猴子，而不是什么亚当夏娃。这种冒渎圣经的言论，竟触动了美国资产阶级的愤怒，遂被处罚。这样耐人寻味的案子，给我们提出如下的问题：

“到底基督教的圣经对呢？还是达尔文的进化论对呢？”

其实这个问题早在数十年前被解决了。聪明的美国资产阶级也很明白进化论的真理，那么，为什么反对这个真理呢？理由很简单，就是在他们的眼里只有利害不利害，而无所谓真理不真理。圣经是他们的支配工具，冒渎了它，即是冒渎了他们的支配权！

自从十九世纪生物学及历史科学昌明以来，我们知道了人类原是猿猴科的一种动物，而由进化的法则演进到现在的人类，同时知道了有史以前的人类社会的进化过程。对于这方面的最大贡献者，首推生物学者达尔文，其次是原始社会的发见者巴霍芬，麦克林兰，摩尔根，昂格斯等。

人类的祖先是什么？对这问题之达尔文的回答，在十九世纪基督教统治欧美的时代，的确是叛逆的言论，据他的研究说来，人类本来是一种动物，和其他的猿猴同样在树林间采果实充饥，或捕小动物果腹，他们拾得石片或木棍，拿来作采取食物的工具，从此人类对其他动物占了优势的地位。这样数千年因劳动工具的实践的使用，人类的前二肢特别专门化，而终止了用以行走的任务，成了人类劳动及防卫的机构。同时因手的任务的变化而开始直立步行，人类的骨骼亦因而伸直起来。其后更由于工具的使用及制造上的实践；劳动的社会的性质；直立步行及肉食等事情，而人类的肉体的容貌完全发生变化，遂演进为现在的人类。这样，由动物进化到人类的过程中，最决定的基本动因，就是劳动工具的制造及使用。所以，十八世纪美国的政治家富兰克林说：“人类是制造工具的动物。”

人类的祖先为动物这件事，懂得科学的人都不会否认，除了因阶级的利害关系，故意抹煞真理的人之外。

其次，关于原始社会的研究，最先确立科学的基础的人，就是摩尔根。虽然在他以前，已有巴霍芬的母系社会的发见，及麦克林兰的原始人类的婚姻制度的研究，但到了摩尔根才把它作成统一的体系。他在美洲土人印第安民族中前后考究了数十年，他从“群”，“家族”，以至“国家”的形成，详细考察原始社会的演进过程，他发现母系制度和原始社会的两性关系，对于从来宗教的两性问题的思想上起了很大的变革。

摩尔根在古代社会中，把人类的全部演进过程分为野蛮，半开化，文明三个时代，而且把前二个时代再分为初、中、后三期，对于每时期的人类生活状态加以详细的说明。在这里，简括的说明其内容如下：

一，野蛮时代——初期，人类栖息于一定的地域，以草根果实为食料，但已有简单的言语；中期，开始用火，以鱼类为食料；后期，发明弓矢，以禽兽为食物。

二，半开化时代——初期，发明陶器；中期，开始饲育动物，栽培谷类，使用干砖及石材；后期，发明铸铁与简单的文字。

三，文明时代——开始使用声音字母，制成文字的记录，从此开始了有史时代。

我们的所谓先史时代，就是野蛮和半开化时代。关于这时代中的两性的结合问题，摩尔根以为在野蛮时代是群体婚姻，其中有两种不同的形态：血统家族和彭那鲁亚家族；到半开化时代实行对偶家族，以后母权衰落父权建立的过渡期间有宗法家族，这四个形态，是和上述的各阶段相适应的。

上述的各时代，各有新的特征，这是人类的生产手段的变迁所引起的。我们以为生产手段的发达程度，是剖视人类社会的进化过程之尺度。摩尔根的这一见解，正就吻合于史的唯物论的基本法则。

昂格斯继摩尔根之后，著《家族私有财产及国家之起源》一书，而把摩尔根的全部研究，加以明确的整理与说明。从此以后，从来隐藏在闷葫芦的先史时代的人类社会情形，遂为人们所看破；同时，明白了从来关于两性问题及家族制度的宗教的解释，都是荒唐无稽的鬼话！

最后，我们借倍倍尔的一段话来作本节的结语吧：

> 略述原始时代的两性关系，在本书的目的上是很重要的，这是我们要从此证明以下的事实的缘故。就是在古代人类进化的过程中，已经因生产方法和生产物分配方法的变化而影响于两性的关系，因此，今后生产和分配方法的变动，两性关系也必然因之变动；不论什么，没有“永久不变的”，在自然界和人生都是一样，永久不变的只有“转化”和“变迁”自身而已。(《妇人与社会》)

第二节　原始时代的结婚及家族形态

据历史家的说明，自从人类脱离动物状态以来到现在，约有二万五千年（历史上所谓现代人的起源），但有记录可考的历史，只不过四五千年而已。这样，人类是从久远的往昔，慢慢的进化为像今日一样的文化人。在这长久的进化过程中，人类的经济的，社会的，道德的生活以及两性关系，亦必适应人类自身的进化阶段而有种种不同的形态，这正如现在的野蛮人和文明人都各有不同的男女关系和生活形式一样。

许多近视眼的布尔乔亚学者们，只看到有史以来的两性关系，便以为妇女的非独立性和对男子的隶属，是历史所决定的事情。过去既如此，将来也必如此。同时以为一夫一妻制的家族及结婚的形式，是天然的不可变的东西。这种见解，不是有意的欺骗，便是无知的失言！

我们晓得，妇女在社会或家族中的地位，是和经济的发展阶段有密切的关系；换言之，妇女在经济发展阶段中所占地位，即其所负担的生产劳动的性质如何，是决定妇女在社会或家庭的地位的。家族及结婚形式也同样，是和经济的发展阶段有不可分离的关系。例如农业经济阶段和工业经济阶段，家族及结婚形式，是完全不同的。

关于原始社会的男女关系巴霍芬的研究是很有兴趣的。在他的《母权》(*Droit-Materna*)一书中，评述人类两性关系的进化过程。兹举其重要者如下：

(一)原始的人类，两性关系为乱交。

(二)这类性交，不容父性之确立，子女只知有母而不知有父，因而发生母系制，即母权制。上古一切民族莫不由此起源。

(三)这样的结果，妇女与母性成为后嗣唯一确认之尊亲。其享受尊敬之程度，照巴霍芬的想象，曾达到有母系统治权。

(四)后来转变到一夫一妻制，妇女专属于男子(参照蔡和森著《社会进化史》)。

巴霍芬以后，摩尔根在各地野蛮民族中搜集许多关于这方面的材料，遂证实了巴氏的研究的正确，并且他更把原始时代的家族及结婚形态加以系统的研究，他把原始的结婚及家族制度分为如下四种。而这四种形态，是和社会的经济的发展阶段正相适应，现在依据摩尔根的意见，对于每一形态加以简单的说明，以便读者参考。

(一)血统家族

人类最初是过着群的生活，和毒蛇猛兽或异族作群体的生存竞争，他们都靠取自然物以维持共同生活。无论强者或弱者，男或女，都只有在这共同团体中方能生活，个体决无单独生存的可能。在这种情形之下，一方面为着加强团结，一方面为着繁殖种族，在血族群中便实行群体结婚。这时在血族的范围中划定世代；同一世代的男女，可以互相性交，但是禁止长辈同少辈间的性交，这样亲子之间不会发生性的关系。

（二）彭那鲁亚家族

到野蛮时代的末期，生产工具相当进步，狩猎成为最通行的劳动方式。这时候的人类，因为经验到同血族的群婚，对于种族繁殖不如异血族的群婚来得有利。因此发生了以这氏族的一群同母姊妹，和那氏族的一群同母兄弟的团体的结婚，这就是彭那鲁亚家族制度。这种结婚是以女性为中心，男子结婚时候必须跑到妻的氏族里去，因此财产继承也只限于妇女，所谓母系时代由此开始。

（三）对偶婚制家族

这是一时的一夫一妻制所形成的家族。人类到半开化时代的中期及末期，农业及牧畜已相当的发达。母系氏族的经济的生活很丰富，而男子是不能承继母亲的遗产，故只能加入妻系氏族团体方能生活，男子无经济支配权，只为了妻系氏族而执行战争的任务。这样的结婚形式虽为一夫一妻的结合，但其离合很容易的。这就是母系制的最后一个阶段。

（四）宗法家族

这是母系制被颠覆，父系制成立后发生的家族形式。在这时代，农业及畜牧业的技术，更加发达，劳动的形式也跟着变化，需要多量的劳动力。因此男子们从战争中捕来的俘虏，不再杀死，而把他作为奴隶，使他劳动。这样，生产物更富裕起来，除了消费外，还有剩余的东西，从此男子便利用指挥奴隶的经济制度的优越权，以颠覆母系制度，确立父系制度。所谓父系氏族便由此发生，这氏族中的家长是男子。他们购买或从战争中掠夺异族的妇女来做自己的妻妾，遂形成多妻制家族，所谓卖买婚和掠夺婚，就是这时代的产物。

从此以后，不单妇女沦为男子的奴隶，跟着私有财产制度的发生，男子间也发生贫富贵贱等阶级的差别。

共同生产，共同消费的原始社会也从此永远为历史上陈迹了！

第三节 由母系制到父系制

一种制度的成立与没落，必有其社会的经济的原因，换言之，在某种社会的经济的条件之下，必然发生与之适应的某种制度。

母系制度怎样崩坏？父系制度如何成立？这个问题在前节中已略为说及，但在此更进一步去认识这问题，我想还不是徒劳的。

首先，原始母系制度的存续条件可分为如下三种。

第一，在原始社会，男子是大部分从事战争，社会存续上所必要的物质的生产，大半由妇女负担，因而妇女在生产劳动上占重要地位。她们不单养活自己，并且要养育子女，所以不得不努力生产。采拾草根果实，捕获小动物鸟蛋等就是她们经常的生产活动。她们在这种生产行为中，遂发明农业和家畜，由此，生产物格外增大，同时妇女在经济上的地位更被提高。

第二，原始人类的两性结合形式，大部是群体婚，所生子女只知有母而不知有父，因而母性在家族中占重要地位，并且男子结婚必加入妻方氏族，所以发生了母系氏族。

第三，氏族内的财产如土地，生产物，其他生产工具等，原是全氏族的共同所有，但其管理及分配权属于年长的妇女，并且单单女子为同一的血族，故财产承继权亦只限于女子。

虽然如此，但母系制度并不是妇女专制或压迫男子的意味，乃是社会上以母系为中心，而过着两性平等的生活。在母系社会，是共同生产，共同消费，个人的利害和社会的利害一致，既无不劳而获者，亦无劳而不获者。

可是，这制度终于崩坏了。这崩坏的原因，可分为以下二点。

第一，随着新的生产手段的发明，农业及牧畜业急激发达，需要大量的劳动力，因为劳动力愈多，生产物便愈大，于是男子们从战争中捕获异族，作为奴隶，使之作生产劳动；这样，男子便由战争的指挥者变为生产的指导者，遂一跃而占经济上的重要地位。

第二，氏族的人口增加，分裂成多数氏族；异氏族之结婚禁止成为不可能，于是群体婚制改为对偶婚，即一定的男女同栖，所生子女为他们自己的子女，这样，在氏族内发生多数小家族，小家族和全体氏族的利害不能一致，结果，母系氏族竟陷于瓦解状态。

这样，母系氏族崩坏，妇女的地位和势力很快的衰退，父系便起而代之。

那么，父系制度在社会中所起的作用是怎样呢？它的第一个特征是财产私有制。母系共同体瓦解以后，一切生产手段为年长的男子，即战时的指挥官所占有，同时，由于奴隶制的劳动，生产物大见增加，氏族内部发生剩余生产物，这剩余部分亦归为族长所有，而产生了所有者和非所有者。

第二个特征是阶级制度。奴隶劳动开始以后，产生劳动的指挥者和直接劳动者两种人，也就发生了主人和奴隶，贵者和贱者。

第三个特征是嫁娶婚制。男子利用经济的优越地位，夺取妇女的性的选择权。妇女嫁给男子，成了男子的泄欲机器。

第四个特征是多妻制度。男子除了掠夺异族的妇女作为妻妾外，只要有资产便可以收买女子，做玩弄的工具。

第五个特征是要求妇女的贞操。性欲原是和其他的情欲同样很自然的，但男子为着保护正出子女的财产承继权，绝对奖励女子的性的专一。

第六个特征是家族制度的存立。私有财产制是以个人的私有为经济单位，因此发生以个人为中心的小家庭，妻及子女为夫及父的所有物，有绝对的处置权。

这种不合理的男权制度存续到数千年之久，把妇女在肉体上精神上退化到最低劣的非人的境地！

第三讲　古代奴隶制社会的妇女

第一节　奴隶制国家与妇女的奴隶化

自从原始的母系制没落与父系制确立以后，在氏族社会里发生了许多难以解决的矛盾与对立。即是说，发生了奴隶和奴隶所有者，富者和贫者，特权者和无权者等种种不同的社会阶层。在他们之间，有着相反的利害关系，常常引起对立的斗争。于是特权者就创设国家机关，集中一切政治军事力量于这一机关，以镇压奴隶或无权者。这种国家机关最古而最典型的实例，就是古代希腊及罗马的奴隶劳动制国家。

国家在母系和父系的斗争上也作了相当有效的处置。这点，许多社会学者也不甚注意，但我想，这是一个值得研究的问题。

由母系社会推移到本质上完全不同的父系社会，当是社会的一大变革，而这变革并不是那样“和平”地实行的。相反的，我们在许多传说中可以看到父系和母系的斗争，就是说，在战斗的民族间，还有许多关于女英雄的传说。她们率领许多强有力的娘子军参加战争，即使在现在非洲的蛮族达哥那人的女王也是率领着武装的女卫队。这样看来，男子须经过长期的斗争才能夺取妇女的支配权是无疑的。国家在这方面的任务非常的重要，即规定关于男女权利问题的明文法，使妇女在法律上处于非人的地位，这点，不用说古代国家，即使在现代文明国家的法律中，也充分表现国家是抑压妇女的机关。

古代希腊及罗马国家，是建设了人类史上最初的灿烂的文明，但这所谓文明，实在是建筑于妇女的牺牲和奴隶的血汗上面的。据说在纪元前五世纪，希腊雅典市全体住民二十万人中，奴隶占十万人，自由民仅二万人，其余八万人是无权利的外地人。仅仅这二万自由民是有支配权的特殊阶级，他们是吸取十万奴隶的膏血，剥夺全体妇女的人权而穷奢极侈，尽情欢乐，这便是奴隶社会的“文明”的特征！

关于妇女的奴隶化问题，倍倍尔这样说道："她们是最先做奴隶的人类！'奴隶'这种人未曾存在之前，妇女已经是奴隶了！"（《妇人与社会》）

不过，妇女的奴隶化和一部分男子的成为奴隶，是有着本质的差异。因为第一，"妇女"并不属于社会的阶级范畴，它只是抽象的性的区别，所以，在阶级社会，"妇女"自体亦必有阶级的分化；第二，妇女地位的低落，是基因于她们失去在国民经济上重要的生产劳动的权利，而不是由于劳动的强制。这是我们要特别注意的。

哥仑泰是这样说着："妇女的隶属化，是原因于劳动的性的分业，即男子负担生产劳动，妇女负担其补助劳动的事情，这种分业愈甚，妇女所受的束缚便愈来得厉害。……私有财产制是只不过助长妇女的隶属化而已。"（《妇人劳动革命》）

举一个例说，在氏族社会，农耕妇女的地位，远优于牧畜氏族妇女的地位，这因为农耕劳动是适合于妇女，而妇女在生产上占重要地位；牧畜劳动是适合于男子，而妇女在生产上处补助地位的缘故。因此，虽则在母系制崩坏和财产私有制确立以后，但妇女在生产上占重要地位的农耕民族中，妇女的权利比较长久的持续下去。不过，财产私有制逐渐把氏族共同体经济分裂为独立的个人主义的家族经济，而在家族内部，也引起劳动的性的分业。换言之，妇女是负担家庭的厨房的工作，男子是负担家庭外的生产劳动。另一方面，随着生产技术的发达，发生了牧畜及农业外的种种职业，因而发现种种专门家，如陶工，皮革工，织物工，商人，武士，僧侣等，这些职业都由男子一手包办，妇女只处补助的地位，结果，妇女在国民经济上便成为不重要的东西。这样也就成为生育子女，服侍丈夫的家庭奴隶了。奴隶制社会乃至一切男权社会的妇女地位，也只有从这个见地去观察才能得到正确的理解。

讲到希腊罗马的妇女地位，那已经不能用概括的概念来说明了。作为自由民的妇女和作为奴隶的妇女，是属于完全相异的阶级范畴；前者和后者是有截然不同的生活样式和身份关系，但这相异只不过前者是自由民的奴隶，后者是奴隶的奴隶罢了。有着支配权的自由民的妻或女，较之女奴隶自然有更好的地位与特权，但这不是她们自己的东西，而是她们的父或夫的特权的残滓。

她们自身是一无所有，只在家庭里做洗衣，织布，烧饭，养孩子，指导家仆等的工作。而且在男人的绝对压制之下做长期的卖淫生活而已。至于女奴隶，对男奴隶的隶属关系，是比较缓慢的。这因为男女都是同样的无权利，不自由和隶属，同样的受劳役，苦恼，疲倦，饥饿等的苦难，这里还有什么隶属可说！只有对自由民的愤怒和反抗的情热在烧着他们的心坎罢了。

第二节　奴隶化了的妇女生活

古代希腊及罗马的妇女，随着财产私有制的发达，和奴隶制劳动的强化，早已被男子夺去了社会的生产劳动的权利，她们已经不是国民经济上主要财富的生产者了！她们从广大的社会的生产领域，被驱入于家庭，由社会人变为家庭奴隶了！

什么是家庭奴隶呢？她的存在意义，第一要去满足丈夫即家主的性欲，第二要去生育丈夫的后嗣者，第三为着保证丈夫的正出子女的准确性，不和其他男人交际，第四幽禁在寝室和厨房间，只有温顺服从，不得反抗！

男权中心的希腊雅典共和国是最初设定种种道德律及法律，剥夺妇女的自由，膺惩妇女的反抗。所谓梭伦（Solon）的共和国新法，是规定犯了奸淫的妇女处以死刑，或由其丈夫把她当作奴隶而出卖，但对于男子则任其自由。这是典型的男权国家的法律！

希腊及罗马的自由市民的妻女，在物质生活上自然比女奴隶优越得多，但她们也是同样的无权利和不自由。既婚妇女是完全隶属于丈夫，在牢笼一般的家庭里做长期的“卖淫”奴隶的生活；未婚的女子是隶属于父母，没有自行择夫之权，深囚在闺房里等待着父母的出卖；她们的贵重的生命在不见天日的寝室里和厨房间消磨到死的那天！

关于当时希腊妇女的生活，有一位喜剧作家如下的把它描写出来：

一切有精神和肉体的之内，

啊！最可哀的存在，实在是我们女子！

我们非带了嫁妆卖给丈夫不可，——最坏的是我们的身体也归他了。

不论他是怎样的人，善人或者恶人，

这种危险最足惊人——因为离婚是女人的侮辱，而且女人是不许拒绝丈夫的。

……中略……

男人可以避去家里的烦恼，在外面可以寻找能够安慰他的，

在朋友之傍，在同辈之列——而我们则非孤寂地守在家里不可！

他们常说，女人毫无危险地，

住在家里，当他们战争的时期。

好愚的谬见！我情愿上三次战场，不愿经一次产褥！（参照《妇人与社会》）

但是，另一方面男子对于自己的妻女严禁其他男人来侵犯，而他自身却不断的追求他人的妻女。于是为着缓和这个矛盾，发生了希腊有名的娼妇制度！起草雅典新法律的六分之一的领域上妇女，也和男女共同争取得平等自由的梭伦园在那时居然设置国营娼寮，公然实行变态的多妻制度了。一位无耻的雅典男人竟公然说道：

> 我们和一个女子结婚，是因为要正出的子女和家庭间忠实的主妇，我们用侍女，为的是身边的照应和日常的侍奉，我们嫖妓女，为的是爱的享乐。（同上）

可是，当时的娼妇并不是谁都可以买来卖去的女奴隶，而是超脱一切束缚妇女的道德律，而勇敢的做自由生活的女市民！她们有高尚的教养，学问上也有相当的造就，又勇敢的参加政治活动。例如爱施帕西(Aspasiu)，拉伊斯（Lais），菲利那（Phryne），列奥那（Leona），亚耳海那萨（Archeanassa）等，都是历史上有名的娼妇。亚耳海那萨是大哲学家柏拉图（Plato）的爱人，爱施帕西是大哲人苏格拉底（Socrates）的好友，菲利那也是希腊贵族界的交际花。纪元前五百年顷的娼妇列奥那参加于当时反对纂夺共和国权力下的僭王之政治阴谋，遂和其他同志们一起被捕，在残酷的拷刑之下还不肯告白实情，竟咬断自己的舌头，吐到裁判官的脸上去！

这样，当时的娼妇是有高尚的知识和品格，而且很自由的和上流人交际，这可以说是母权制崩坏后妇女们反抗男权束缚的另一种表现！

此外在希腊还有杰出的女学者们，她们在文化上的贡献极多，在她们的弟子们中也有许多思想家。例如阿斯福是有名的女诗人，阿格诺支加是穿着男服学医而从事医术的最初的女医生，亚力山大里亚的美丽的女教授伊巴支阿是大哲学者，世界各处的学者们为听她的讲义，都不远千里而来。

这个样子，当时的妇女们虽则在一方面受男权的绝对压迫，但另一方面充分的表现奋斗反抗的精神。我们再拿希腊有名的喜剧“妇女国民会议”来看吧。这里的女主人公普洛克苏哥拉竟提出财政共有制的议案，这是值得注目的。她提议说：

> 我是要求，一切的东西都要共有，一切都应属于大家，从此要消灭富者和贫者，应当要消灭某种人连立身之土地都没有，而另一种人却领有广大的土地的事情。妇女也应当成为共有物。应当要使她们和自己所喜欢的男人生孩

子。（参照《劳动妇女革命》）

很显然地，这是希腊妇女对于财产私有制，强制结婚，及妇女的奴隶地位提出反抗的议案。这是纪元前四百年即距今二千五百年左右妇女所提出的抗议，可是直到今日还没有被实现！不，在世界的六分之一的土地上，已经实现了。

第四讲　中世封建社会的妇女

第一节　封建制度与家族制度

我们为了正确的理解中世纪（第四世纪——第十五世纪）封建社会的妇女地位，必须先明了这社会的生产关系及社会制度，尤其是家族制度。

首先，我们要知道，前讲所述的古代奴隶劳动制社会是如何转变到封建的农奴制社会，而且这种社会的转变，对于妇女是有如何的影响。

创造了庄严灿烂的文明的古代社会，是以高度发展的罗马帝国为最后阶段，到了四、五世纪时终于崩坏了。崩溃的主要原因是：

第一，奴隶劳动的生产技术，受奴隶制度的限制，不能发达，而且日益萎缩；

第二，在奴隶生产的压迫之下，自由农民及手工业者日濒破产；

第三，在无限制的压榨底下，奴隶的死亡率激增，出生率锐减，奴隶价格高涨，奴隶来源枯竭，奴隶制度本身就难能维持；

第四，奴隶们的叛乱迭起，颓废了的自由民已无力维持社会秩序。

这样，曾经助长了社会生产力发展的奴隶制度，到此时，反而成为妨害生产力发展的桎梏了。于是，从这旧社会的胎内打破桎梏而孵化出来的新的社会形态，就是中世封建的农奴制社会。

农奴制社会和奴隶制社会，在阶级的压迫关系上是同样的东西。农奴是由被释放的奴隶，破产的自由民及被征服地域的人民所构成的，封建社会的主要生产者。他和奴隶不同之点，在于奴隶是直接隶属于主人，而他是隶属于主人所领的土地之上；因此，农奴制度可以说是缓和了奴隶制度，也可以说是奴隶和近代劳动者的中间形态。

封建社会制度的特征，是被征服的土地全归为大领主（国王）之所有，大领主把自己直辖区域以外的土地，作为封地或领地而分给小领主（诸侯），小领主再把它分给家臣（幕僚），家臣再把它分给农奴，这样，大领主，小领主，家臣，农奴之间有君臣主从的绝对的命令关系，而以服从军役为主要义务。农奴是从事农业，在其全部生产中，除了最低限度的生活资料外，都贡纳于领主，而且没有移住及职业自由之权，他和土地一并被买卖，离开了土地，就失去了生存的地盘。当时手工业及商业不甚发达，封锁的自然经济支配着整个社会生活。

建筑在这种社会的经济基础上面的家族制度，也是以绝对的从属关系为其特征。妻对夫，子对父母，家族对家长的关系，正和农奴对领主的关系一样，都是绝对的服从关系；而这种关系是以法律，宗教，道德，教育等制度来使之合理化，正常化。

在古代奴隶劳动制时代，已经被驱入于家庭的妇女，到了封建时代，更受着种种制度的束缚，完全失掉了“人”的地位。例如“三从四德”，“七出”等，都是一般封建国家的拘束妇女的典型的道德律；尤其封建的家族制度，是把妇女置于绝对的男权支配之下，作成了男子的终身奴隶。俗语说“嫁鸡随鸡，嫁狗随狗”，这是最深刻的表现封建社会妇女的地位与痛苦！

在封锁的自然经济时代，家庭的经济的任务非常重大：它是封建国家的社会有机体的一个细胞，经济的生产的一个单位。家族财产的统一与巩固，是维持封建国家的主要条件。因此，在封建社会里，家长的权威特别加强，全家族都无条件的服从于家长的命令。

封建法律，是为着保全代代相传的家产，采用长子制度。依这制度，家长死后的遗产可由家长的长子承继，因此家长是非常的重视其长子。假使主妇不生儿子，则不单受家庭的虐待，并受社会的歧视。在德国某地方，自治体法律是规定不能生儿子的男子，使其妻和邻人发生关系以得后继者。中国的租妻纳妾等，亦多半借口无子的。

封建国家是把家庭作为独立的主体，而使各个人绝对的从属于家庭，并且防止家庭的一切变动。这理由有二：第一，使家庭作为最有效的生产的经济上的细胞；第二，使家庭繁殖而促进人口的增加。

封建时代的家族形态，自然不能以统一的概念来观察它的。在这社会里，有种种不同的阶级集团，如领主，骑士，手工业者，商人，农民等，他们各有不同的社会生活，而其家族关系亦各各相异。在本讲中，我想从各阶级的经济活动，他们的社会生活，乃至他们的家庭及结婚形式中，去观察封建社会的妇女地位。

第二节　封建的家庭与妇女结婚

建筑在农奴劳动上面的封建国家，必然是领主，贵族，僧侣，官僚们的议事机关。他们为着掠夺邻国的财富，为着镇压农奴的叛乱，更为着合法的无限度的榨取农民大众，赋予国家机关以绝对的专制权力；这权力的行使者便是领主。可是，领主为行使其专制权，就需要某种法制的道德的秩序，于是乎发生了封建的成文法及道德律。这种法律自然是以绝对的隶属关系为前提；换言之，在成人间，男女间，亲子间，长幼间，都有一定的法制的道德的从属关系。其中最典型的特征，就是封建的身份制度，及男子压迫妇女的封建的道德律。

身份制度是封建国家用法律来规定社会各阶层人民

的地位的东西。例如领主，贵族，僧侣，商工市民农奴等，都有一定的社会身份，同时有一定的由上而下的支配关系，在他们中间，家族的，宗教的，道德的，教育的一切社会生活，都有严格的区别。比方说一个商人不得坐贵族所坐的椅子，不得受贵族所受的教育，更不得和贵族通婚。在这种制度之下，社会各阶级的家族生活及结婚形式，自然有天渊之别。我想在这里，把关于领主、农民及商工市民的妇女生活，加以简单的叙述。

首先，领主家庭是充分的反映出他的社会地位的特质。领主为维持对其臣属及领民的权力，就需要加强他的家长权威。他对于家族握着生杀予夺之权，将自己的子女转化于财产，转化于非人格的物件。可是以战争和掠夺为经常工作的领主，不得不把家政委任于最可信赖的妻，这样，领主的妻是以主妇的资格去管理生产上的组织，租税的征收，粮食的贮藏等各种家政。这种主妇的权利对于农奴可以实行苛酷的榨取，更可以执行不客气的惩罚。但是她对于丈夫即领主，则处于农奴一样的非人的地位。

领主家族的婚姻是彻头彻尾以家庭的利益为前提，

详言之，领主及贵族间之结婚是以政治经济的利益为目的的一种契约。为着缔结巩固的同盟，为着增进家庭的经济力，更为着保证军事上的安全，无妨把自己的幼女嫁给近邻的老领主；个人的爱情及愿望是不得不牺牲于家庭利益的大前提之下的。昂格斯说：

> 在贵族及骑士看来，也和有统治权的王侯一样，结婚是政治的行为，也就是借结婚之助而要扩大自己权力的交易。决定的条件是王朝的利益及家门的利益，决不是个人的希望。

这种政略的结婚，引起了早婚的恶习。在中世纪欧洲的贵族家庭间盛行早年的婚约。一位伯爵夫人曾把自己的幼女和日耳曼公爵的承继者伯尔特缔结婚约，而新郎新妇还不到六岁。这种恶习，在目前我国也时常可以看到的。

其次，农民家庭的妇女是和农奴同样参加一切生产劳动，但封建的男尊女卑的道德的观念，也支配着他们的生活，所以农妇更成为农奴的农奴。不过，他们的结婚及家族关系，常常为领主所直接支配。领主把农奴们间的结婚，看作增大属于自己的劳动力的手段。在这种利益的打算上，要直接处置他们的结婚。谢西夸夫说：

> 他们（领主）把农民的结婚，看作生育子女而招致领主利益的马和犬的交尾一样。

这样，领主对于十八岁以上的农夫和十四岁以上的农女，可以执行强制结婚，因为他们痛切的感到农奴的数的增大，就是他们的利益的增大的缘故。并且，封建法律不单给领主以随意处分农民的劳动和财产之权利，甚至给他以广泛的性的强迫的可能性。

最后，工商市民的家庭，就是现代资产阶级家庭的前身。在中世纪封锁的自然经济时代，在领主居住的都城之下，为着供给领主的需要而发生了手工业及商业的专门的职业者。他们虽然同农奴一样处于领主的支配之下，但他们的生活样式，已经采取进步的形态。

第三节　中世纪的基督教与妇女

一切宗教，只不外是支配人类日常生活的外部的力，空想地反映于人类底头脑里面的东西；换句话说，就是地上之力，采取天上之力的形态的一种反映物。(《反杜林论》)

中世纪的基督教，也正是当时的领主和农奴，贵族和贱民的绝对隶属的生活关系，空想地反映于他们的头脑里面的东西；换言之，就是地上的封建领主权力，采取天上的上帝权力的形态的一种反映物。

基督教的偶像神——上帝，在中世纪，的确是“唯我独尊”的最高权力者。他们对上帝是只许信仰而不准批判，只有服从而不得反抗。可是这偶像权力的直接行使者乃是地主，贵族，僧侣，三位一体的封建国家，上帝是傀儡而已！

就基督教的起源看来，基督自身，无疑的是为解放犹太被压迫民族而牺牲其性命的伟大的革命者。可是到后来，他的不肖门徒们，却把他的手心中流出来的血，向当时的统治阶级廉价出卖，于是乎基督教便成了封建国家用以统治被压迫大众的工具。一切教会的制度，仪式及教义，都使之适合于支配阶级的胃口，而对于被压迫大众，尤其妇女，则遂行了最大的欺骗与侮蔑的任务。

基督教对于妇女的侮辱和欺骗，是最刻薄而可恶的。上帝在爱典乐园创造了亚当夏娃的第二天，便把一切的罪恶加在夏娃身上，说女人是诱惑男子的罪恶之根源，女人是不净者，招世界的罪恶，招男子的祸害的诱惑者。

有名的教父泰尔特利安（Teruliren）对于妇女的宣言中，有如下的一段话：

> 你们应当晓得，你们是夏娃。上帝对于女人的判决，到今日还存在着！因此，你们的罪也仍然存在着！你们是恶魔的支配之门！你们是破坏了禁戒的树果，你们是最初犯了神的法律，你们是诱惑了恶魔也不敢接近的男子，你们是弄坏了神的形像的男子。

基督教不仅把女人当作罪恶之根源，并且把妇女当作同牛马一样的男子的所有物。《旧约》的《十诫》中第九诫这样写着：“不可贪恋人家的房屋，也不可贪恋人家的妻子，仆婢，牛马以及其他一切所有物。”

这样把妻子和牛马放在一起，妇女是属于男子的牛马一样的物件。

特别有趣的，是纪元五八五年在马孔（Macon）的长老会议中，讨论妇女有没有灵魂的问题，发生争执：结果仅以一票的多数，决定女子也是有灵魂的人类。但教会法仍然规定“妇女并不是仿照神的原型而创造的东西”。

基督教对于封建的亲族法，亦尽其侮辱妇女的能事。基督教是在妇女对男子的绝对的隶属关系上面，设定了一夫一妻制的婚姻制度；这在男子方面，自然是名目上的一妻制，而实际上是多妻制。中世纪英国的婚姻法中有如下的规定：

> 若女人犯通奸罪的时候，其处罚权全属于该女人的丈夫之手。

可是男子犯通奸罪的时候，其处罚权却属于神的意志。关于这点，英国的教父叶尔布利克却很巧妙地加以解释：

> 如同夫处罚通奸的妻一样，上帝也处罚通奸的丈夫。

可是上帝如何处罚通奸的丈夫呢？这是无从知道的谜！而丈夫处罚通奸的妻是严酷的肉体的刑罚。据谢西夸夫的话，封建领主在出外期中为防止妻的通奸，特别用贞操带束在女人身上，倘有不贞行为，则将她毒打或处死！

基督教一手拿着侮蔑妇女的圣经，一手抚摩女人的额顶说："你们是罪恶之渊薮，赎罪之道只有顺服，现世的顺服乃是来世的天堂！"这种说教对于绝对被压迫者的妇女是很有效果的！因为对于现实世界已经绝望了的中世纪的妇女们，很容易接受来世的"安眠药"自行麻醉！这样，基督教要把妇女解放到来世的天堂上去，这里有它的独特的欺骗性质！

第四节　初夜权

“初夜权”——这在“文明”世纪中生活着的现代人看来，仿佛是《天方夜谭》中的神话一样神秘而有趣的事情。可是这并不是神话，而是距今一千余年前在我们的社会里，的的确确存在过的事实。这不单丝毫没有神秘，反而是公然的，合法的蹂躏女性的历史的事实。

所谓初夜权，就是封建领主对农奴实行性的榨取的超人权的权利。详细点讲，在封建时代一切农民要结婚的时候，把新娘让给地主同宿初夜，蹂躏其处女性。因此有人说，领主是“一切结婚的试尝者”。

初夜权是封建时代的法律上的一种制度，而有其久远的历史的根据的。据倍倍尔的意见，在母系氏族崩坏后，妇女为男子所独占，但这是违反于氏族的法规的，因此在初期妇女要结婚时，先在氏族中实行其性的开放，然后才去和一定的男子结婚。到了封建时代，此种习惯，便归为领主的初夜权。此种制度，在中国似乎不曾存在过，但在欧洲，在许多历史的法律文献中，发现了它的确实的证据。在苏格兰，叶维奴斯三世王发表一种法律，规定贵族有和自己的一切农民的新娘同宿初夜的权利。这法律到了一〇七五年为玛尔可姆王所修改，规定农民欲赎回新娘的处女性，必须纳入若干的金额，在法国也有过同样的法律，在德国及瑞士，初夜权一直保存到十六世纪。

随着封建制度的崩坏，初夜权的形式也跟着发生变化。就是要结婚的农民，只要拿出相当的物质的等价物，便可以赎回妻的处女性。换言之，以物质的榨取，来替代了性的榨取。关于这，在倍倍尔的《妇人与社会》中有如下的一段话：

> 在农奴及仆人们要结婚的时候，一定要招待他们的主人及其妻。这样，主人是在车上满载着干薪来参加结婚式。同时，新娘和新郎是将一只四分之一的烧猪奉上主人。结婚式完了后，新郎是非把自己的妻的初夜权让给主人不可。假使不愿意的话，须拿出六先令四便士来赎回妻的初夜权。

封建领主是随时随意干涉农民的家庭生活，及结婚关系。富于色欲的领主是不单限于初夜权，即使在平时也随便强迫农民的妇女，以满足其兽欲。列奥·西德罗维茨在《平民风俗史》一书中，再三证明封建领主任情蹂躏农民的妻女及新娘的历史的事实，他说道：

> 古代的奴隶为着满足其主人的肉欲，无论何时都要准备牺牲自己的身体。同样地，半数的女性是为着满足其主人（即领主）的色情，不得不（把自身）一任他们的自由处分。

所谓初夜权，在我们妇女的立场看来，不仅是领主对农奴的性的榨取，而且是男权压迫女权的最极端的表现。纵使领主不干涉农民的家庭生活，但妇女在农民家庭的地位几等于零。农奴的妻是绝对隶属于丈夫的奴隶。她们在家庭中不单没有爱情的自由可言，并且更负担了困难的生产的劳动，土地的耕种及收获，家畜的饲养，织布洗衣等做不完的劳动都由她们去负担。假使一不留心，就要受翁姑的惩罚。封建社会里的妇女，实在过着十八层地狱的生活。

第五节　封建制度下的卖淫

到了十世纪以后，欧洲的都市人口，显著的增多。这因为一方面商业及手工业发达，促进都市的繁荣；另一方面封建领主及贵族，对农民实行苛酷的榨取，使农民经济破产。多数农民子弟，为着生存，逃脱农奴的枷锁，跑到都市来当手工业者或商人的徒弟。结果都市人口的大部分便感觉结婚的困难，尤其徒弟们不单受禁止结婚的限制，并且没有结婚的能力。这样过着强制的独身生活的人们非常之多，但他们非想法子寻求满足性欲的机会不可。这就是封建时代的卖淫的增大与普及的主要条件。

中世纪的都市是由于种种原因，作成了卖淫普及的绝好地盘；徒弟们的被强制的独身生活固然是主要原因，但此外还可举出如下四种原因：

一，从领主的压制下逃脱出来的多数妇女，她们不能像男子一样到其他领主的军队里去当兵，只好进城市谋生；

二，妇女不准参加基尔特组织，因而很难找到职业（因为当时只是政治上有权利的人才能参加基尔特，但妇女是无此权利的）；

三，封建的贵族及商人们，往往在都市寻找“享乐”的对象；

四，在各种战争，特别是十字军战争中，死去了多数男子，尤其在最苦的劳动条件之下，男子的死亡率激增，结果，都市人口中妇女数超过男子数。

以上诸条件，一方面加强男子对妇女肉体的渴求，他方面作成了妇女为着生存而不得不出卖肉体的条件。

当时封建国家，本来把卖淫看作社会的风俗败乱，看作违反基督教精神的淫荡，可是，这种伪善的观念，终于不能战胜谋利的欲望。他们将卖淫当作可以征税的企业，当作充实国库的重要来源，遂用最露骨的方法，开始利用卖淫业。

特别在十字军东征的时代（自十一世纪至十三世纪），发生了大规模的卖淫妇队，这是卖淫史上值得特书的一件事。据说十字军在第一次远征“圣地”的时候，在放荡的威廉王指挥之下，随军的卖淫妇队达三千人之多。哥特夫利特王在自己的供奉者中收容二千名卖淫妇。又在第二次十字军远征的时候，路易七世的军队中也有多数的卖淫妇。第三次出征时随军的卖淫妇五百人，这些都是历史上著名的事实。

但是，这许多卖淫妇女，不仅仅是被利用于性关系方面，而且执行了粗暴的士兵们的奴隶的任务，这是历史上所罕见的特征的事情。关于这事情，佛伦秀伯尔开在其所著《战争之书》一书中指出如下的一段事实。

> 妇女辎重队的义务是服侍士兵们，供给他们的一切必要的东西，烧饭，煮菜，洗衣，特别看护病人，而搬运食物，饮料，及马的饲料等。

当时已经踏进于没落过程中的封建国家，虽然还挂着神圣的基督教的面纱，但它的唯利是图的面具，特别在卖淫取缔中非常露骨的暴露出来。最初实行取缔卖淫的是法国，其次是英国。但他们的取缔，就是规定一定地域内的娼家及娼妓数，而且规定高率的卖淫税，这不是“寓禁于征”，而是“寓征于禁”。他们的目的是在于充实国库的收入，使王公贵族过淫逸奢华的生活。

从这时代起，娼寮便成为封建都市的重要施设，甚至成了国家的独占企业。政府对于纳税的娼妓特别加以保护，同时娼妇自身也有基尔特的组织。对于基尔特以外的“自由”卖淫妇，国家把它作为“风俗的破坏者”，或“淫荡的传播者”而加以弹压。这种现象，其实，在文明的现社会也都到处同样！

第五讲　产业革命前夜的妇女

第一节　工场手工业与妇女劳动

所谓产业革命前夜是自十五世纪至十八世纪末，近代的市民阶级起来和封建领主作残酷的斗争的时期。在这时期中，政治方面有德国宗教革命，英国的光荣革命及法国大革命。经济方面有封锁的自然经济的破产，货币经济发展，工场手工业勃兴及世界市场的发见，最后引起了英国的产业革命。文化方面有文艺复兴运动，天文学及地理学的大发见，个人主义及自由思想的澎湃，这许多历史的大事件都在这时期中发生。人们称这时期为商业资本主义时代或工场手工业时代，但我们宁可称之为近代市民阶级革命时代。

近代的市民阶级，在封建社会是处于被压迫的第三阶级。最初他们在领主的都城中以手工业或买卖为生，就是收买这个地方的手工业品运到那个地方出卖或收买那个地方的手工业品运到这个地方出卖。这样买来卖去，借以赚钱。不过，在当时因为一方面手工业生产有限，另一方面市场的范围狭小，所以他们的活动范围也极有限。到了十一世纪至十三世纪十字军东征以后，西欧文化和东方文化开始沟通，欧洲人民的世界观因而发生变动。等到十五六世纪中，发见美洲新大陆及好望角的迂回航路，乃至近东诸国的水陆交通后，商品交换的市场遂大见扩大，海外商业便急激的发达。此时，从来的手工业生产力不能满足商业的要求，为了应付这要求，遂把手工业生产方法加以改良，这样，就产生了工场手工业。

工场手工业是中世手工业和近代机械工业的中间形态。它是组织大规模的工场，把分散的手工业者集中在一处，使他们分工合作，实行资本主义的生产。举一个例讲，在制造钟表的手工业工场，第一的工人是专做钢条，第二的工人是专造摆子，第三的工人是专做文字板，第四的工人是专做钟盒，所有各部分结合起来，便成为一个钟表，这样，它的生产能率比分散的手工业者的生产来得高。在这里应当注意的，就是过去的手工业者或家庭手工业者，是把自己的制造品卖给需要者或经纪人；但工场手工业的被雇佣的手工业劳动者，是把自己的劳动力卖给资本家的一个工人，这就是近代资本工人最初发生的历史的根源。

工场手工业制度替因农村破产而流浪到都市的无数妇女及儿童，打开了出卖劳动力的门户。中世的手工业者行会是不准妇女参加的，妇女只能在家庭手工业中参加工业生产，但到了此时，许多不熟练的妇女及儿童，也成了工场手工业经营者所愿意收买的对象。这因为：第一，在工场手工业中，许多部分可用不熟练工人；第二，工钱低廉；第三，可以实行苛酷的劳动条件。凡此种种，都很适合资本家的胃口，因此，女工及童工的数目便日见增大。

许多破产的手工业者及农民，不能养活其家族，遂不能不为着最低度的工钱，而把自己的妻和孩子送到工场里去。尤其，孩子们的工钱是格外低廉的。十六世纪英国的一位作家，在其手工业工场访问记中这样写着：

进到大的房子里面，便看到那些穿着破烂衣裳的孩子们。他们都坐着，拣着细和粗的羊毛，他们共有一百五十人左右，他们都是贫穷的父母们的孩子，到了晚上，只取得作为自己的劳动力的报酬的一便士。

小孩们是因激烈的劳动而疲劳，为了很少的工钱，做十二小时乃至十四小时的工作以后，得到很少休息时间，就拿火酒，香烟，赌博等来消遣。他们是四五人一块睡在一个床上。苍白的面色，浮胀的脸，恶性肿疮，咳嗽等等都是他们的非人的生活的附随物。

女工的生活也是同样的惨酷，她们在白天到工场里做长时间的劳动，晚上回到家里，精神和肉体已很疲劳，但还要煮饭，烧菜，服侍丈夫和孩子们。这样她们是处于三重压迫之下，即：一，在国家社会中，无何等权利，只有逆来顺受，不得反抗；二，在家庭中仍然受着封建礼教的束缚；三，在生产劳动中，受资本家方面的苛酷的剥削。换言之，除了从来的家庭及社会中的封建的压迫外，更加上了新的压迫，即工钱奴隶的压迫。不过妇女自从参加社会的生产以来，从来在家庭中无价值化了的她们的劳动力，便成为国民经济上有价值的东西，同时她们发见了在解放途上和她们同一命运的同盟者工人大众。这样，妇女的解放运动和近代的劳工运动，是有着极密切的关联。

第二节　宗教改革与妇女

经济关系是社会的基础，一切制度及观念是它的上部构造，基础变了，上部构造便不得不随之变化。但这种变化，往往经过人们的残酷的斗争始得完成。路德的宗教改革运动乃是这种社会变革的具体表现。

宗教改革的表面的事实是这样的：一五一七年德国的神甫马丁·路德，看到罗马法王出卖赎罪符的不合理的事，起来反对罗马教会，结果在欧洲各国得到许多共鸣者，遂创造了基督新教。这好像是纯粹的宗教运动，但在实际上却是当时市民阶级反对封建制度的政治运动。

到了中世末期，欧洲的封锁的自然经济益形破产，都市的商品经济日见发达，在这新旧经济的代替过程中，新兴的市民阶级就要创造适应于自己的制度及观念，以替代那旧的东西。于是在十四——十五世纪先有人文主义的文艺复兴运动。这运动的特征是反对教会权力，反对独断的宗教学说，反对一切不自然的道德律，重视现世生活而排斥来世天堂。但这只不过是市民阶级的初期的思想斗争而已。更到十六世纪时，市民阶级完成了工场手工业的生产方法，生产力大见增加，但封建制度仍然成为其发达的桎梏。于是对于封建势力的大本营罗马教会，实行了第一次的总攻击。这就是宗教革命的本质的原因。

> 罗马教会……就是最大的封建领主，领有了旧教世界的三分之一的土地，因此要打倒各国的每个俗世的封建制度，先有打倒这个神圣的中心组织的必要。（昂格斯）

当路德举起反罗马教会的旗子的时候，欧洲的一切被压迫大众，尤其在封建制度下被压迫最甚的妇女们都热烈的集中到他的旗子下。他们为着自由和平等，打着先锋去流血了，但其结果，有些领主是没收广大的教会土地及财产，稳固了专制的统一王国的基础。尚未成熟的市民阶级虽然得不到直接政权，但在统一王国中能自由的发展其经济势力；至于打前锋的农民及手工业者乃至妇女们，却什么都没有得到！

在宗教革命史上，妇女的功绩是不可磨灭的。中世纪以来，妇女是被压迫最甚的人类，她们都很容易接受一切改革的思想。特别在文艺复兴时代，许多贵族及市民阶级的妇女们，多吸收人文主义的思想，并且有相当的学问教养。尤其在中世的禁欲主义下，深深的幽闭在僧院里的尼姑们，是最不满于现状的一群妇女。她们在新教派和旧教派的斗争中，丝毫也不逡巡地参加到革命的新教派，热心的宣传新教主义，排斥旧教。她们在领主贵族的妻女乃至顽固的农村妇女们中，获得无数的同情者及信徒。宗教革命的领袖马丁·路德，卡尔文及陈格尔的妻等，也就是她们的丈夫的最热爱的同志。特别值得记录的是法国的女王裴拉，为了参加新教派而不得不抛弃她的家族和富贵；俄国的贵妇人玛罗素娥是反抗沙皇的独裁而参加民主主义的异教运动。这些女英雄及女殉教者的活动，是装饰了宗教革命史的悲壮的一页。

宗教革命的结果，妇女们虽则得不到何等现实的权利，但在妇女解放思想上却给予了很大的影响。原来宗教革命是人文主义的进一步的实现。这个运动的指导精神是自然主义，个人主义，现实主义，理性主义等近世思想的综合体。详言之，就是市民阶级的意识形态。这种思想是承认妇女的人权，即承认妇女的职业权，劳动权，教育权，婚姻自主权等。因此，我们要研究现代妇女解放运动的根源，不得不溯考到宗教革命的指导精神。

旧教派的人们骂为淫僧、色情狂的路德，关于婚姻问题的说教，确是代表了市民阶级的思想。他是首先反对中世的禁欲主义。他说："妇女除了少数没有天惠者外，都需要丈夫，正像需要饮食睡眠及其他必要物一样；反之，男子也不能没有妻子。原因是因为生殖的事，是和饮食同样都是人类的天性。"他又关于婚姻关系这样说着："假使妇女嫁给不能履行结婚义务的男子，而丈夫不许可妻另寻男子的时候，她可以弃他出走，向另外的男子求婚；反之，做妻的不愿履行结婚义务，那末男子可以和其他女人同衾，但事前须得使他的妻知道。"（《妇人与社会》）这位大改革者所开陈的意见，非常合理。不过，"路德也不过将当时民众的意见表示出来而已"。

第三节　工商市民的家族形态及妇女地位

当封建农奴的生产方法没落，近代的资本家的生产方法起而代之的过渡时期中，一般家族制度及结婚形态也必然起很大的变化。这种变化的主要原因可分为如下四点。

第一，跟着工场手工业生产的发达，封锁的自然经济日见破产，农村的人口集中到都市，从来定式化的家族生活关系便由此开始动摇。

第二，自从十四五世纪文艺复兴运动以来，人文主义的思想便成为社会的指导精神，尤其十六世纪德国的宗教革命，打破迷信的独断的罗马教会，结果，在一般家族及结婚观念上起了新的变化。

第三，工场手工业需要吸收不熟练的劳动力，因此，从来在家庭中做无值劳动的妇女们也能参加国民经济上有价值的生产劳动，同时妇女获得经济上独立生存的机会，这对于妇女的社会地位给予了新的基础。

第四，尤其在宗教革命以后的三十年战争，欧洲各地的农民叛乱，长期的市民战争，打断了一切家族的纽带，流离失所的人口，遍于全欧，家族及结婚关系，大都失去其正常的状态。

在这种急激的转变期中，最主要的角色就是工商市民。他们是以个人主义，实利主义及自由主义来武装自己的头脑，而和封建的假仁假义的温情主义，迷信的独断主义及绝对的专制主义相对立。因此，在他们的家族及结婚生活上也必然反映出和封建制度完全相反的新道德观。

在工场手工业时代，即市民阶级刚刚在历史舞台上登场的时代，对于家族及结婚关系，已经有了最进步的自由主义的认识。他们把神圣的自由契约的权利，应用于结婚契约上面：就是认定自由恋爱与自由结婚。

结婚虽仍然是阶级的结婚，但在同一阶级的范围内，还认定两个当事者间某种程度的自由选择的权利。在纸面上，在道德的理论上，又在诗的叙述上，无论怎样认定不动的真理也

> 好，但比它更为不动的真理的，就是不站在相互的性爱和夫妇间真正的同意上面的一切结婚都是背德这件事，换句话讲，恋爱结婚是人们的权利，而且这不仅是男子的权利，同时就是妇女的权利。(《家族的起源》)

可是在市民社会中间也和封建的贵族同样，结婚在根本上就是以经济的利益为目的的一种交易。他们想要结婚的时候，最先关心的就是“财产的探求”。就是说，物质的利益为最决定的要因，纯粹家庭的动机还是次要的。我们试读普来坦克的诗便明了当时的恋爱关系了。

> 一切世间中的努力，
> 都只倾注到恋爱和利益，
> 可是，在许多的人们中，
> 利益比恋爱还要甜蜜。
> 任你怎样爱妻子也好。
> 对利益的爱着，还要强些！
>
> (《结婚及家族社会学》)

这里很率直的描写出市民社会的所谓自由恋爱的本质。在领主间，为了兼并土地或外交上的目的而结婚；但在市民阶级间，为了资本的合同或商业上流通的增大的目的而结婚。恋爱尽可以自由，但物质的利害便是“自由”的前提条件。

市民社会虽然主张妇女的人权，承认男女平等的原则，但在他们的家庭中，妇女地位却没有什么的提高或改善，仍然使妇女处于男子的隶属底下。

虽则如此，但市民社会为着使妇女适应于资本主义的生产方法，对于一切劳苦妇女给予了劳动及职业的自由，同时给妇女以商品经济社会所必需的“读写算数”的知识。结果，一方面，广大的妇女大众，参加到国民经济的有价值的生产，获得独立生存的机会；另一方面，培养出一大群的知识妇女，她们在社会各机关中能够担任从来男子所独占的“高尚”的职务。从这时候起，妇女们感觉到自己的力量与权利，遂开始向社会要求男女平权的初期的妇女运动。

第六讲　资本主义时代的妇女

第一节　法国大革命与妇女

现在的资本主义社会，自然不是一时突然出现的东西。它是经过种种发展阶段，并且必须经过工商市民的坚决的斗争才得实现出来。法国大革命就是这斗争史中最光荣的一页。

法国大革命对于妇女解放运动及思潮，给予了很大的影响。这种影响特别在有名的《人权宣言》中最充分的表现出来。从来在封建的绝对王政之下，一切平民大众完全失去了“人”的地位，至于妇女，更不待说是命运注定的奴隶。少数封建特权人民，任意吸取大众的血汗，为所欲为，过着地上天堂的生活，而多数从事生产的人们，尤其妇女，却受尽现世的地狱痛苦。在这种现状下，市民阶级起来了！举起自由，平等，友爱的旗子，宣言人民的权利，向封建势力进攻，他们的旗子，他们的主张是名正言顺，理直气壮，于是乎多年苦于被压榨的工人及农民群众，都很热烈地参加革命阵线，被压迫最甚的妇女们更勇敢的参加大众的叛乱。结果，专制王国被打倒，工商市民夺取政权，成立了新政府，但直接流血的工农群众及妇女们呢，不单得不到什么权利，反而遭了新政府的镇压和屠杀！他们只不过以新的压迫对象来替代那旧的罢了。

虽然如此，法国大革命总算完成了历史上重要的发展阶段。从此以后，人类的物质的及精神的文明，冲破封建的桎梏，很快的发达起来，遂做成了灿烂的现代文化。

法国革命时的《人权宣言》以及美国的《独立宣言》（一七七六年），是人类解放史上有深长意义的划时代的文献。它不但表示出当时一切被压迫人民的要求，同时对于久已失去人权的妇女大众给与了很深刻很有力的暗示；《独立宣言》中说："人类是平等的，有天赋的权利，对于生命自由，幸福的权利等乃是其最主要者。政府是为拥护此等权利而被组织，其权力渊源于人民的公意。”《人权宣言》中也有如下的主张：“第一条，人类在出生及生存上有自由平等的权利，社会的不平等除了为着公共利益外不容存在；第二条，一切政治的结合目的，在于保证人类的天赋而不可侵犯的权利。”这里虽然没有单独指出妇女的权利，但妇女既为人类的一份子，自然要取得和男子同样自由和平等的一切权利。美国独立战争和法国革命后，市民社会虽然并没有给妇女以何等权利，但以上两种宣言，的确成为妇女们开始要求一切人权的主要契机。

法国革命时，一方面在工商市民的妇女中已经产生了充分吸收近代自由主义思想的多数知识妇女层，他方面，随着工业生产的扩大，在各中心都市，特别在巴黎和马赛，女工数目可惊的增加，这两种妇女在革命的叛乱中形成了主要的战斗部队。据历史的记载，巴黎的女工们参加占领巴士蒂尔监狱的斗争，女工们以罗莎·拉哥姆布（Rosa Lacombe），玛得连沙布利，列娜奥珠等为领袖而组织凡尔赛进击队。特别引起兴趣的是由妇女卫兵之手，把路易十六护送到巴黎的事情。

法国革命中，有四位主要的妇女领袖，这就是铁罗纽，拉哥姆布，靠杰和罗兰夫人。铁罗纽具有热烈的战斗的性格，她领导群众占领巴士蒂尔监狱，因此国民议会为着表彰她而赠与有名誉的宝剑。十月五日进攻凡尔赛的那天，她为支持妇女们的革命精神，穿了赤色衣裳而骑马向凡尔赛进击。八月十日，她为着拥护共和政府，在广场上彻夜演讲，要求确立真正人民的最高权力。

拉哥姆布也是参加凡尔赛进军的一员，她是巴黎郊外劳苦妇女的真正的指导者。她常和下层妇女群众一起生活，她是有卓越的组织才能，优美的声音和姿态的女人。她在立法会议的旁听席上大喊："在联合军的侵入中防卫革命！"同时要求"权力大众化！"八月十日围攻王宫的时候，她的臂部受了伤。国民会议特赠给她荣耀的"市民冠"。她创设"革命妇女俱乐部"，以革命的精神教育妇女大众。她是有名雄辩的女雅各宾党员，她不单主张妇女的权利，同时要求大众妇女的利益。她高喊：

在共和制度底下，妇女所得到的利益有什么哟！

靠杰（Olgmpe de Gonges）是最初发表《女权宣言》的人。当有名的《人权宣言》发表时，靠杰女士以为《人权宣言》只主张“凡人（man）生而平等”，而没有明白指明男女的平等权利。于是她发表《妇女权利宣言》，主张妇女也应有公民权，参政权及其他一切社会的权利。她也和“革命妇女俱乐部”互为声援，热烈的向着当时反革命化的政权斗争，结果她以扰乱治安之罪，处以死刑。

罗兰夫人（Marie Relland）原是老朗特党的女党员，“妇女立宪同志会”的领袖。她极力鼓吹男女平等的思想，特别起草女权宪法草案，提出于议会，但因为反对的人太多，遂不得通过。于是她更进一步要求政府不分职业，不分男女，所有国民都有选举权和被选举权这种主张，竟触犯了当时统治阶级，被捕入狱，更为了党派不同的关系，终为断头台上的英魂。

以上四人可以说是法国大革命中的四大女杰，也可以说是历史上最初的妇女运动的领袖。

第二节　产业革命与妇女劳动

现代资本主义是以十八世纪末叶欧洲的产业革命为其起点，一直发展到二十世纪初头，遂进入于高度发展的帝国主义阶段。

在前讲中说过，自从十六世纪以来，欧洲的海外贸易急激发展，商品需要量大增，为应付这需要，就把从来的手工业改为工场手工业以增进其生产能率。可是到了十八世纪海外市场更被扩张，而工场手工业生产还不能供应广大市场的需要，于是为增进其生产能率起见，就开始了生产工具的改良与创造。所谓产业革命乃是一七七〇年以来起于欧洲诸国的机械及蒸汽机关等技术的革命，以及因此引起的社会全组织的变革。

本来，最进步的机械是由工作机、动力机及传力装置三者而成的。一七六〇年英人哈利格夫最初发明纺织机械即工作机，至一七七〇年遂被应用，但当时还未发明动力机，只能以人力，风力，水力及兽力等为动力而运转其机械，故生产能率仍有限制。其后一七八四年瓦特发明了蒸汽机关，把动力机和工作机结合起来，遂成了完全的机械。于是乎，用机械来使用机械，实行大量的商品生产，在产业界起了空前的大变革。

产业革命的直接主要的结果，可举出以下五点：

（一）手工业及工场手工业全被扫荡，确立了现代的工场制度；（二）资本家阶级急激发达，确立了阶级的支配权；（三）手工业者及破产的农民转化为永久的工钱劳动者；（四）不断出现恐慌，失业，阶级斗争等现象；（五）机械工业吸收廉价的不熟练的妇女及童工的劳动力。

产业革命和妇女劳动有着密切的关联。当机械工业踏进其第一步的时候，就开始吸收多量的妇女劳动力，例如一七六八年在英国开设最初的棉纺织工场，至一七八八年即蒸汽动力被利用以前，在英格兰和苏格兰已经有一百四十二家工场，在这些工场中，只纺织一部分已经有童工三万五千人，女工三万一千人。其后在这些工场的各部门中，共有童工四万八千人，女工五万九千人（参照《结婚及家族社会学》）。

在机械不需要筋肉劳动力的时候，是要利

用没有筋肉力的劳动者——即肉体的发达虽不充分，但还有更软柔的四肢的劳动者。因此，妇女劳动及幼年劳动，是应用资本主义的机械时的最初要求。这样用以替代劳动及劳动者的这强大的手段（即机械工业），是不问其性别及年龄如何，把劳动者家族的全成员从属于资本的直接支配之下，同时转而成为增大工钱劳动者数目的手段。……在以前，劳动者在形式上还保持一个自由的人格而出卖自己的劳动，可是到现在他们是不得不出卖自己的妻子和子女，他们便成了奴隶商人。（马克斯）

妇女劳动力，一方面低廉，一方面适合于许多工作，尤其妇女对社会的认识较为落后，因为她们做惯了家庭中的无时间的、无价值的劳动，故很容易接受苛酷的劳动条件。这些情形遂必然的增大了对妇女劳动者的需要。同时，父或夫的工钱常常不够用，妇女自身要靠工钱劳动才获得独立自存的生活，这也就是妇女劳动急速增大的条件。

特别到最近十数年间，从事生产劳动的妇女数目急激地增加，据最近四次的德国人口调查的结果看来，劳动妇女的增加率如下：

年次	劳动妇女	对妇女总人口的比率
1882	5 341 517	24.02
1895	6 548 350	24.96
1907	9 492 881	30.37
1925	11 477 684	35.60

这样，产业革命即机械工业的发展，是急速地增大了劳动妇女的数目；而妇女参加于生产劳动，对于妇女自身的解放筑上了坚固的基础。我们知道，在原始母系社会，妇女参加有价值的社会生产，所以能够保持独立的人格。自从财产私有制发生以来，妇女便离开了生产，被驱入于家庭，因而成为男子的附属品。到了资本主义时代，妇女不能不再从家庭逐出，参加于国民经济的生产劳动，和男子同样地创造社会的价值；从这里，我们可以看到妇女解放的前途！不过，要记着，它的根本的解放，只有在新的经济制度底下才有可能！

第三节　家庭的解体与妇女

十八世纪以来的产业革命，对于整个社会机构，引起了空前未有的大变革，这变革在从来的家族生活上给与了特别深刻的破坏的影响。就是说，“大工业破坏了从前的家族组织及和它相适应的家庭劳动的经济基础，同时破坏了从来的家族关系”。这样，资本主义便把从来的家庭改造过来，作成了适应于自身的新的生活组织。

资本主义的家庭改造，一方面夺去从来家庭内的传统的职务，他方面把家庭的势力圈缩小起来；结果，家庭在社会上的任务几乎完全消失，它只残留着空虚的躯壳而已。这不是改造，而是“解体”。

我们知道，在封建时代，家庭为社会的经济的生产单位，为国家基础的细胞组织，更为文化的教育的集合体。因此，家庭的纽带非常紧密；可是，产业革命以后，随着资本主义的经济组织的发达，家庭内的生产的任务日益缩小，而家族员必然加入于社会的生产关系，这样，家庭只除了性生活及消费目的外，并无何等存在的意义。

但是在这家庭的崩解过程中，两种不同的妇女群，向着两种不同的前途从家庭解放出来。即一是有闲的家庭妇女，一是劳动妇女。

在产业革命以前，有钱人的家庭中尚有多少男女间的分业。主妇除了消费者的职能外，还能执行种种家庭生产上的任务，可是到了十九世纪后半期，随着社会组织技术的发达，家庭内主妇的任务，非常减少，缝纫，编织以及制作饼食等从来主妇所担任的工作，完全移让于企业家之手。甚至教养子女的任务亦移让于专门家或社会机关。她的任务，只是生孩子及消费丈夫赚来的金钱而已。这样，有闲妇女是从家庭琐事中解放出来。整日在艳装，看戏，谈天，宴舞等堕落生活中消磨时日。法国的民权拥护论者朱尔海德，是这样描写近代有闲人的家庭：

在“口里含着银匙生下来的”人们中，普通在家族间可做的事情，用金钱雇家族外的人来使他去做。家族外的妇女——奶妈哺育子女，另雇保姆给孩子们穿衣，洗面，吃饭，甚至扶着行走。还有家族外的家庭教师，负担孩子们的教育。……这样有钱人的家庭，现在只残留着生命的形骸，至多不过是一座金库而已。

这样，有钱人家的妇女是从细琐的家务中解放出来，过着颓废的生活；可是勤劳妇女却完全相反，其实她们并不是从家庭解放，而是环境强迫她离开家庭。因为在丈夫的收入不够养活妻和子女的时候，她们为着生存，不得不出卖廉价的劳动力。

离开家庭到工场去的妇女，不得不把孩子们放任于街头的教育或邻人的监视。她们一天到晚在工场中过疲劳的生活，完全失去了所谓“家庭的乐园”。在她们看来，家庭只不过是夫妇的共同休息所；可是，她们和丈夫之间，因为同样受着生活的压迫，慢说没有什么相互的慰藉，甚至一碰头就很容易动气漫骂。他们的家庭，连所谓“休息所”的意义都没有了。

这个样子，妇女劳动是破坏资本主义社会的家庭制度。但家庭的没落，即使是如何惨酷，妇女的职业化本身却是非常进步的历史的现象。为什么？因为只有破坏这家庭的妇女劳动，才能够创造出家族及结婚关系的新的形态的缘故。我们再看下面的一段指示吧。

> 在资本主义制度之下的旧家族关系的崩坏，无论如何可怕又可厌恶的表现出来也好，可是大工业却在社会的被组织的生产过程中，即在家庭外，对于妇女，男女未成年者及幼年者给予了积极的任务，由此创造出新的经济的基础，同时创造家族及两性关系的最高形态。（马克斯）

第四节　自由恋爱与结婚

产业革命，在恋爱及结婚关系上也引起了重大的变化。

我们知道，在奴隶经济时代有所谓买婚，这是拿家畜，谷物及现钱等代价去收买新娘的婚姻。又在封建时代有所谓盲婚，这是不管婚姻当事者的愿意与否，只要以家长及家族经济的利益为前提而强制说合的婚姻，也就是中国的一切“父母之命，媒妁之言”的婚姻。可是，到了资本主义社会，那种结婚形态已经不能适合于资本家的社会组织，遂把它扬弃而创造出新的结婚关系来，这就是所谓“神圣的自由恋爱”和结婚契约。

当工商市民新登历史舞台的时候，他们的确宣誓了结婚的自由，承认婚姻当事者自行选择其对偶的权利，更赞扬以两性间的真正的同意和相互的性爱为基础的结合。可是，这仅不过是市民社会的自由主义的反映而已。实际上所谓“自由”恋爱在复杂的利己主义的经济关系之下，必然成为金钱的俘虏。详细一点讲，在有产者社会，所谓自由恋爱，纵使其动机如何的纯洁与真挚，结果不能不受金钱关系的限制。何况在这“神圣”的财产私有制支配着的社会，许多存心不良的人们，还把恋爱当作猎取财产的投机手段呢！

有产者社会是以商业交易的结婚契约来替代了从来的买婚和盲婚制度。“结婚当事者们便成了以‘同等’的资格实行交易的契约者。这当事者们遂相互成为买主和被卖者。”（倍倍尔）他们当中，一方是以金钱来保证爱情，他方是以爱情来换取金钱。所谓结婚完全从属于资本主义的商品市场的法则。资本主义是把妇女从买婚及盲婚制度中“解放”出来，使她成为不得不贩卖爱情的“商妇”。现代英国小说家阿诺尔得，关于他的小说《像》中的女主人公，这样写着：

> 她为了得到有财产的男人，受着特殊的训练，她终于成功了，就是嫁给了雪尔公爵。这就是等于嫁给了在英格兰的二万英亩的土地，在苏格兰的四千英亩土地，在彼加特里的一栋房产，在各州市镇的七栋房产，一艘蒸汽快船，还有五十万镑的中部英格兰的铁道股票等等。

这就是对于资本主义社会的几千万男女老少而说的话，也就是有产者社会的结婚的公式。换言之，差不多每个人都要嫁给煤矿，煤油，百货店等等的主人，都要和拥有银行存款，金银宝石，钢铁工场的老板结婚。

关于有产者社会的结婚，倍倍尔说得真好，他说：

“金钱结婚是达到高等社会生活的最安全而容易的手段。一方为着愈多愈好的金钱欲望，他方为着爵位，称号及身份的憧憬，在上层社会阶级中，以这种方法相互寻找满意的对象。于是婚姻成为交易，这是一种因习的结合，两个人表示尊敬，骨子里个人有个人的主意。”

实际上不单女人追求有钱的男人，同时男人也寻觅有财产的女子。就是说那些希望获得财富的人们以及有升官希望而穷于运动费的官吏们，都来寻有钱有势的娘儿，希望和妻子同时得到财产，特别在妇女获得财产承继权以后，此种倾向更为显著。这不是结婚的卖淫化而是什么哟！

当然，在资本主义社会诸条件之下，经济没有独立的妇女，要作父或夫的永远的寄生生活的时候，这种卖淫化是不可免的事情。关于此点，我们在劳动妇女们中可以看到很明显的反证。一位工人的女儿很早就获得经济的独立。同时她是从家庭中获得独立。这种女子是以自己的力量决定自己的命运，依照自己个人的意志解决结婚问题。

妇女能够全靠自己的力量生活的时候，她的恋爱感情，就不至为金钱的打算所染污，而以很自然的纯真的形态表现出来。妇女的经济的独立给与她的恋爱以可宝贵的影响，是连支配层的社会学者也无法否定。《家庭的崩坏》的著者叶尔乃斯特·暮列尔用下面的话来说明劳动妇女的结婚关系：

> 倘若妇女能够用自己的劳动力获得以前靠结婚手段而得到的生活资料及一定的社会地位，那么，以结婚而保证自己生活的妇女的努力，只不过有仅少的意义而已。因为她除了和性生活有直接关系者外，差不多一切的愿望不单在结婚中满足，而且在结婚外也可以满足的缘故，因此，它是把结婚看作恋爱及情欲的实现。（参照《家族及结婚社会学》）

最后在这儿，我们须得明了有钱人的妇女和劳动妇女，在恋爱结婚关系上有着截然不同的态度与实践的。

第五节 “神圣的”一夫一妻制

在资本主义社会，所有站在支配地位的人们都把一夫一妻制看作唯一神圣的结婚形态，而且用法律的及道德的规范来把它确立，并把它神圣化。但是我们必须明白，这制度在本质上就是从财产私有制及男子把妇女奴隶化的社会关系中产生而发展的东西。就是说：“一夫一妻制到了大量的财富集中于一部分人的手里——尤其男子的手里，而且要把财富当作遗产而传给男子的子孙，不愿让给任何他人的时候，才发生出来的。”（《家族的起源》）

所谓一夫一妻制的历史的渊源是很久的。在古代希腊的社会已经有它的萌芽形态，即有了一夫多妻制转变为一夫一妻的一定倾向。在那时候，一个男子在多数妻子中选定一个作为管理家政的主妻，同时使其余的妻子从属于主妻，这样一方面可以有组织的处理家务，他方面可以克服一夫多妻制所必然引起的多数妻子间的反目。我国的主妇和妾乃是最好的实例。到了封建时代以及产业革命的前夜，集中于个人手里的财富，日益增大，这些财富的所有者，为着保证把财富传给他的法律上的子孙，更有加强一夫一妻制的必要；所以，在那时候，不论民法上或教会法上，都把它当作神圣的制度而确立起来。再到资本主义时代，个人主义的财产私有制更见强大而坚固，更有加强财产相续权的必要；所以，市民层虽努力铲除一切封建遗制，但唯有这一制度则不单把它保存，还更使它发扬光大。这种不变的，强制的一夫一妻制度，在工业资本主义时代，实已发达到绝顶。

这样，市民阶级是极端赞美一夫一妻制度的神圣，而用种种的手段把它保卫的。可是实际上，这仍是使妇女作牺牲以强固男权支配的不合理的制度。为什么？因为第一，在从来的法律上，财产相续权只限于男子。第二，所谓一夫一妻制是片面的施行于妇女方面，而男子则隐然或公然地过一夫多妻制的生活。第三，一夫一妻制的结合本身已经不是以纯粹的性爱为前提，而是以妇女对男子的经济的隶属关系为前提。因此，在我们妇女的立场看来，从来的所谓“神圣化”的一夫一妻制，乃是把妇女作为永久的奴隶，永久的牺牲品的男权社会的存在物。

有产者社会是一方面严守“神圣的”一夫一妻制，而使妇女幽禁于这神圣的牢狱里面；他方面设立公娼制度，以补充男子的多妻生活。特别在刑法中通奸罪上宽容男子而严罚妇女，结果被男子诱惑通奸的妇女，反受法律的惩罚。这也是从来一夫一妻制的表征。

从来的一夫一妻制是妇女的终身的奴隶化的契约。就是除了丈夫死亡或犯罪外，永不得超脱的法律的枷锁。从来在法律上不准妇女对丈夫提出离婚的。这是强制的一夫一妻制的最主要的一环。

在法国大革命时代，市民阶级把妇女的离婚权利当作个人自由的主要因素，而在一七九二年九月国民议会所制定的法律中把它承认了。但这法律到了拿破仑手里全被推翻，在工业资本及金融资本主义时代，关于家族关系的一切立法，各国虽有多少差异，但大部分都以妇女的离婚禁止为其根本精神的。

现代意大利，西班牙及南美洲各国的法律，都不准妇女提出离异。即使最自由主义的英美国家，在法律上虽规定这权利，但实际上妇女要提出离异时，须经过种种麻烦的手续，几乎不能够实现的样子。关于这种强制的，终身的一夫一妻制，一部分自由主义的男子们也出来反对，但他们都是站在男子的立场去反对，这是更有趣的事情。反对者中的一人奥特·马尔克斯的反对理由如下：

> 假定我对于我的邻人，约定在今年十一月一日供给一百斛的马铃薯，那是因为我早就有了能够履行这种预约的缘故。但是假使我约定从今天起到二十年后为止，只爱一个女人，不得爱其他任何女人，那是等于签字我自身所不能履行的契约……

这倒是真话，资本主义社会，只要你有钱，自卖淫以至通奸，具备着种种一夫多妻生活的方便门。

我们对于一夫一妻制决不是盲目的反对。我们也晓得两性的结合，并非单纯基因于动物的本能，而是必须以个人的性爱为基础；所以，一夫一妻制本身可以说是人类进化上两性结合的最合理的形态。可是，在私有财产男权支配着的社会，所谓纯粹性爱的结合是绝无仅有，而大多数都为经济的利害所支配，一夫一妻制遂成了妇女的终身的卖淫契约。我们站在妇女的立场，不得不反对这种制度。

第六节　资本主义社会的卖淫

卖淫原不是资本主义社会所独有的现象。在奴隶经济时代及封建时代，也曾有过大规模的卖淫制度。不过，到了资本主义时代，它更获得了普遍发展的社会基础。

资本主义是把妇女的肉体变成市场上主要的一种商品，使她从属于像熏肉，橡皮，棉花等一般的商品流通的法则。一方面在“神圣的”一夫一妻制底下得不到结婚的满足的人们，以及广大的强制的独身生活者——如军人，学生，工人等——都需要满足瞬间的享乐，而对妇女的肉体不负任何责任；同时，在他方面，零落的贵族妇女，破产的农妇以及失业的女工们，迫于饥寒而不能不出卖肉体。她们经由种种经纪人之手集中于资本主义的卖淫企业，由此，很正确的实行需要和供给的流通过程。这样，遂形成了资本主义社会的“人肉市场”。

在资本主义社会，因为卖淫企业的获利极多，所以，唯利是图的商人们用种种方法贩卖妇女及经营淫业，他们一方面收买年轻貌美的“摇钱树”，他方面欢迎肯出钱的顾客。在公开的妓楼，茶馆，戏场，舞厅等地方，公然或隐然地实行人肉买卖。这里有高官大爵，法官及政客，绅士及军人，甚至废娼运动的中坚人物，也成为她们的顾客。关于卖淫的资本主义的企业形态，《欧洲的卖淫》的著者普列克乃尔教授提供了很有趣的资料，他先指出活商品的贸易：“在布达佩斯，要开办最新的妓楼，需要五十万克罗乃的资本。在巴黎第二流卖淫企业的年收利益，达于七万法郎。柏林最新经营的一个妓楼，拥有一百万马克的资本，据说在一九一二年分得二成的红利。”

这样，在资本主义社会，卖淫是“一本万利”的企业，而且这种企业对于国家财政上也有相当的帮助。不久以前广东佛山妓女要免纳花捐的所谓“月经风潮”的记忆，还留在我们的脑际。这所谓“花捐”，各国同样，都是从妓女身上剥削来充实国库的东西。因此，国家一方面有保护纳税者的卖淫业的责任；他方面，因为“人肉市场”是过于暴露这文明社会的丑恶面，所以，他们常常用道德的“面纱”来把它掩蔽，他们或发政令，禁止卖淫行为，或发起大众的废娼运动而要把它撤废。但这好像唐吉诃德和风车搏斗一样，终于失败，他们愈要掩蔽，丑态便愈见暴露。

本来，妇女肉体的商品化，是和人的劳动力的商品化，属于同一范畴。在“劳动市场”存在着的社会，所谓“人肉市场”也必然跟着存在。假使妇女出卖肉体是不正当的话，则工人的出卖血汗也是不正当的。不过，在支配层的人们看来，这种活商品的公然流通，不单“有碍观瞻”，而且“大伤风化”，于是想出种种禁止方法来粉饰社会的道德门面。

可是当他们无法掩蔽这丑恶的社会相的时候，他们便退而寻找使卖淫制度合理化的理论根据。但这个根据，却也在妇女身上找到了！德国的著名卫生学者罗薄那博士，如下的说明卖淫制度的必然性与永续性：

> 妇女卖淫，在任何民族，任何时代都有，这是不能废弃的。因为这种制度，于性交有效，

> 而且发源于人的本性。卖淫动机，大都是由于妇女天赋的弱点，好像在民族中有天才痴子，巨人倭人和一般中庸人的不同一样。因为造化的恶戏，生出了非卖淫不可的异常者。(《妇人与社会》)

这很显然的是将社会的丑恶行为的责任加在妇女身上，而使利润丰厚的卖淫企业作为合理的存在的一种企图。同时，这就是所有保卫这个社会的人们的一贯见解。

在我们看来，卖淫这一现象，并不是在这世界上出现妇女时便已存在。虽则在圣经上说夏娃是诱惑男子的魔鬼，但在共同生产，共用消费的原始母系社会，妇女并不见得有“天赋的弱点”，更没有卖淫制度，只是到了大多数人从事生产，少数人专事消费的男权时代，卖淫才被发见出来。但这种社会的恶德的责任，我们绝不愿推在男子身上，而应当推在不合理的社会制度上面。

总而言之，卖淫制度是有产者和男权支配着的社会里必然产生的东西。因此，在有产者社会内，发起所谓废娼运动而企图把它消灭，那只是骗人或梦想。我们相信，卖淫并不基因于什么人性和妇女的弱点，也不是什么“与天地长存”的东西。到了无论男女不劳动便不准吃饭的社会，即好像原始母权时代那样大家生产，大家消费的社会，卖淫制度也和其他一切不合理的制度同归消灭。

第七节　私生儿及其母亲

在资本主义社会，终身的一夫一妻制是法制的道德的理想，而私通的一夫多妻制，是普遍的现实的实践。一个男子除了一个法定的妻子外，还有妾婢，有姘妇，更有娼妇，任情淫靡，是很公然，很平常的事。法律以及社会的道德的舆论固不去责备他，他自己也不觉得这是不道德的行为。但假使一个妇女除了法定的丈夫外，同其他男子发生私姘关系，那是弥天大罪，法律便马上把她捉将官里去，社会舆论也认为不贞淫妇，决定她终身的运命。这就是资本主义社会“神圣的”一夫一妻制的里面和表面。

可是，这种不合理的制度，必然产生出不合理的结果来。这个结果，就是男权社会所认为“罪恶的结晶品”的私生儿。资本主义国家的法律是把一切一夫一妻制墙外生出来的生命，认为罪恶的果实，付以私生儿的烙印，剥夺他的公民权，把他抛弃于法律保护范围外。但这里被牺牲的不仅是私生儿本身，即私生儿的母亲也被看作“罪恶之魔”，受人们的鄙视，结束了她一生的幸福；而另一方面，该男子的正妻亦为爱情的牺牲者，这是必须注意之点。

私生儿的母亲，大都是未成年的贫苦妇女及零落破产的中产妇女。她们要在黄金握在男子手里的社会关系中求生存，往往在男子的诱惑，欺骗及威迫中堕入情网，但这无异于坠入十八层地狱里，永无回头之期，她们所生下来的子女以及她自身，不得不在不见天日的黑暗中生活。她们一想到这里，便毅然出以绝望的行为——自杀，杀儿，打胎等等，但所谓舆论给她们的仍然还是罪恶之名，却不肯在这社会制度中找出它的罪恶之根源来！

市民阶级为了严守一夫一妻的光荣，把几百几十万的私生儿，处以“胎儿之罪”，剥夺其公民权。法国拿破仑的法典是禁止私生儿认出自己的父亲。德国民法的一五八九条是:“不承认私生儿和其父亲的亲族关系。”尤其，阿根廷的法律是规定:“因近亲相奸或通奸而生的子女，不得有父和母亲，且禁止认出其父亲和母亲。父亲甚至母亲也不得承认他们为子女。”

以上诸原则，直至世界大战时止，在各国家族法中成为不变的真理。但一九一二年十一月十六日法国的法律是有例外的修改，即“除了强奸和诱奸外，在诱惑的场合，事实上同居的场合，父亲承认其子女的场合，都承认其父子关系”。

那么，资本主义国家为什么要剥夺私生儿的“生活权”呢?御用学者美塞尔是最率直的说出这个原因，他说:

> 对于由淫荡而出生的子女，给予他和合法出生的子女一样的命运，那不是国家的利益。为什么呢?因为假使这样的话，要正式结婚的动机将被消灭。……又对于无结婚生活给予和有结婚生活同样的幸福，那也不是国家的利

益，为什么？因为家庭的状态，较之自由的独身者们的状态，更有利于国家，更有助于国家的缘故。

这就是市民社会对这问题的全部哲学，也就是国家抛弃无数私生儿的无辜生命的主要原因。

这样，社会剥夺私生儿的生活之结果，他们的死亡率倍于嫡出子。据一九二〇年德国的调查，出生者一百人中的死亡率，嫡出子占一一点九，私生儿则占二三点〇。又据输列德尔的调查，嫡出子婴儿死亡者为七分之一，私生子婴儿死亡者为四分之一。又据同一人的调查，私生儿的母亲的大部分属于劳苦阶级。例如一九〇六年普鲁士出生的九万四千七百七十七名私生儿的母亲中，百分之四二为家庭佣妇，百分之一〇为农业劳动妇女，百分之二一为工业劳动妇女。

许多生物学者，对于私生儿搜集种种生物的，道德的及智能缺陷的证据，来证明私生儿缺乏人类的价值的事实。但有着科学的良心的学者们却也承认私生儿的优越的天赋的价值。现代德国最大教育家奥特纽来便这样主张：

> 在私生儿间，确有肉体的及精神的退化者。但这现象并不比嫡出子多。不仅如此，私生儿的生活力往往比嫡出子优秀。为什么？因为私生儿的大部分，是从真正的恋爱关系中出生，而且在他们的两亲正是花一样美丽的时代出生的缘故。

资本主义国家的法律，虽用种种方法阻止私生儿出生的必然过程，但其出生者数目却也一天天增大起来。据可靠的调查，德国在最近五年间，私生儿数有百分之四〇的增加，在现在有二百五十万名的私生儿，这是暴露了现代一夫一妻制度的一大破洞。有人说“在现代社会早已不存在所谓结婚”，这话决不是没有理由的！

第七讲　帝国主义时代的妇女

第一节　第一次世界大战与妇女反战运动

自从十八世纪末产业革命开始以来，约一世纪间，世界的资本主义，虽则有时逢到不可避免的恐慌，但一般看来，的确遂行了顺调的向上发展。产业组织的完成，生产技术的发达，以及商品及劳动市场的统制等等，都表现出资本主义的高度发展的形态。这样遂进入于所谓“资本主义最后阶段”的帝国主义时代。

不过，欧洲先进诸国自从十五世纪以来，在世界各处先后强占为商品市场的殖民地，到了这时代便不能不重新瓜分。于是乎资本主义所固有的内在的矛盾日益尖锐化，世界经济的主人公英国和新兴的德国，发生白热的市场争夺战；由经济的竞争发展到军备竞争，遂爆发了空前未有的世界大战。

大战的结果是怎样呢？死者一千万，负伤者二千万，军事费总额四千亿元，欧洲的人民挣扎在毒气和血海里面的整整五年！在过去的历史中，这是最惨酷的一页！

可是，我们仅仅罗列这可惊的数字，还不能够表现战争当时的悲剧的实情。真正惨痛的悲剧，与其说是演在战线，毋宁说是演在后方。因为跑上战线的兵士们，在“为着祖国而死是光荣”的美名下，纵令是饮弹而死，也不过是瞬间的悲痛。至于在后方的那些兵士们的母亲，妻子，儿女们从出战当时的生离死别，以至接到死报为止，流过多少断肠的血泪，发过多少虚幻的梦想！在欲哭无泪的悲苦中活着，所谓“祖国的光荣”，与他们何干！他们要的是他们的夫或子生还！然而，这只是绝望的幻想，长期的悲剧而已！

很显然的，这一空前的流血惨剧是各国的大资本家们为着获得商品市场，为着获得更多的利润而督促政府去发动的东西。但是他们却也打起“为祖国，为正义”的旗子，鼓动兵士们跑上前方去当炮灰，鼓动妇女们留在后方守秩序。当然，“爱国是最高正义”，谁敢反对这个“正义”，谁就是逆贼奸细！不过，无数可怜的兵士们，都成了这“正义”，“爱国”等旗子底下的牺牲品，世界大战的残酷性乃在此点！

战争不仅夺去了妇女们的丈夫及儿子，同时破坏了她们生活根据地——家庭。在平日，丈夫或儿子是他们的经济的“扶养者”，家庭的“主人”。但到此时，他们便成为无从依归的孤儿寡妇了！许多的无产妇女们，为了延长这悲苦的生命，不得不寻找生活的路线。他们或者参加军事统制下的军需工业部门，做无限制的制造杀人工具的劳动，借以苟延残喘，或者流为随军的卖淫妇，甚至投入匪窟，有为的便投入革命队伍。

本来，各国资本家政府为着间接鼓动前方兵士们的士气，提出保障他们的家属生活的问题。就是说，规定对兵士的妻，寡妇及孤儿给与金钱上的补助，或者给与其他免费住宿等部分的特典。但这是“口惠而实不至”的特典，参加后方工作的妇女，虽能支持他个人的生命，但他的子女及老亲等的生活却无从维持，因此在战争期中婴儿死亡率急激增加，这样，战争不但夺去了他们的丈夫，并且夺去了他们的子女。

在这种情势之下，妇女们不得不起来反抗了。一九一五年春天，柏林的劳动妇女们起来欢迎革命领袖加尔·李卜克纳希，攻击赛德曼政府，同时实行反政府的示威运动。参战诸国的妇女们，对于物价暴涨及残酷的战争，提出了强烈的反抗。一九一六年巴黎的妇女，再三去破坏市场，掠夺石炭仓库。一九一六年六月，奥地利的妇女们为了反对战争和物价腾贵，继续到“三日间”的叛乱。在意大利，宣战布告开始动员的时候，妇女们不愿把她们的丈夫儿子送到死线上去，便以身体在火车路上筑成人体防栅，阻止火车的进行。在俄国，自彼得堡至莫斯科甚至波及于各地方的一九一五年四月的叛乱，其主动者乃是兵士们的妻。尤其是一九一七年三月八日彼得堡劳动妇女的崛起，成了俄国大革命的导火线。资本家政府对她们鼓吹“爱国心”的时候，她们的回答是:“要拿面包来给我们的孩子！”

这样，妇女在大战中经验了惨苦的生活，坚决的反对战争！可是二十年后的现在，所谓第二次世界大战又不可免的临到我们的头上了！据一般的情势看来，这次的战场恐怕是太平洋上，首当其冲的当然是我们中国！这次战争比前次还要惨酷，还要广泛！我们妇女将如何应付这可怕的大毁灭的惨剧？这是要严重考虑的大问题。

第二节　第一次世界大战与劳动妇女

谁都不能否认，第一次世界大战是加速了资本主义世界的没落过程。大战的结果，产生了苏联的十月革命，打开了被压迫民族的解放前途，增强了各国劳苦大众的革命力量。但此外还有他们应当注意的，就是大战当时及大战以后妇女劳动的空前的猛进，及劳动妇女的政治的与组织的飞跃。

在世界大战以前，妇女劳动虽然广泛的参加各种产业部门，但还受着严格的限制。例如重工业，运输交通业及需要高级技术的产业部门，都为男子劳动所独占，限制妇女劳动的侵入。这种劳动的性的差别，在男子们看来，自然是有理由的。他们以为这种高级的劳动，只有男子才有能力负担，决非妇女们所能胜任。但世界大战却有力的证明了这个理由的不正确。

在战争开始，各国下总动员令以后，全国工人都“为着祖国”拿起枪炮跑到火线上去，后方的产业机关全都空虚了。但战争的要求并不是生产的减少，而是生产的增大。只不过其生产的性质发生了急激的变化罢了。参战诸国为着保证战争的胜利，都不能不增强军需品工业的生产。于是资本家政府更打起“为国服务”的旗子，动员兵士们的妻子，儿女，姊妹，母亲等等妇女大众，参加到各种战时所必需的生产部门。这样，各国的妇女大众，便成了“后方的兵卒”，在政府的指挥底下，强制的制造子弹，大炮，火药等杀人工具。战时中，任何产业部门都有妇女劳动的参加，其中最显著的就是金属工业，化学的军需品制造部门，军服工厂，罐头工厂等，此外还有从来限制妇女参加的产业部门，例如电车，铁道，驾驶车辆，管帐，警卫，输送队，夫役，以及矿山，建筑业等都由妇女去担任。特别是电话，电讯，邮政等职务，几乎完全由妇女去处理。并且她们把这非常时期中的复杂的事务，处理得非常敏捷而妥当，于是从来蔑视妇女的男权社会，也不得不向妇女致“爱国主义”的赞词。

在战时中，妇女劳动的增加不独限于参战诸国，即使在中立国也同样的增加。中立国的产业也受着战争的刺激，急激的扩大其生产。因此，在各种产业部门都吸收大量的廉价的妇女劳动力。据说在战时中，劳动妇女的增加数目：法国有一百万人，英国有一百五十万人，德国有二百万人，欧美各国合算起来，约达一千万人以上。妇女劳动的这种突飞猛进，是表示出妇女国民经济上所占地位之重要性。

可是，到了战后，从战线回来的兵士们，脱下军帽便成了无数的失业者。他们“为着祖国”打过五年的仗，结果是两败俱伤，回到家乡来还失却了吃饭地！他们是富有革命的爆发性的危险分子。因此，各国政府为着安插他们，一方面把产业恢复到正当的轨道，他方面开始排除妇女劳动，而失业女工便急激的增加。一九一八年至一九二二年交战诸国的强烈的经济恐慌，是把无数的失业妇女作为它的牺牲品。在战时中戴上爱国荣冠的劳动妇女们，到此时却成了彷徨街头的饥饿群。

尽管如此，到了一九二二年以后，参战各国渐次恢复了正常的生产装置。于是，资本家们为获得更多的利润，不能不再行收买廉价的妇女劳动力，在所谓“安定期”中，各国的劳动妇女又广泛的侵入于各种生产部门，尤其在各中立国，例如美国，日本，不单没有蒙受战后恐慌的打击，反而因这恐慌而招致了自国的繁荣，因此劳动妇女不断的增加。在这次的世界恐慌爆发以前，劳动妇女仍不失为各国资本家的最有利的榨取对象！

然而，一九二九年恐慌爆发以后到现在，劳动妇女再陷于绝对的失业危机。有产者社会每逢到恐慌的时候，就要把占人口半数的妇女作为牺牲品而过渡其难关，这是特别值得注意的。这次的恐慌跟前次不同，很难有克服的希望。它所产生的失业者及饥饿群，引起了政治的动乱，像怒潮一样在那儿动荡着。各国政府为了挽救这动乱，又从社会各机关中排除妇女劳动而代以男子劳动，这是目前资本主义国家的一贯政策。最近德国希特勒政府公然要求妇女回家，就是它最显著的实例。

这样帝国主义时代，妇女劳动一方面有未曾有的跃进，另一方面有狂暴的阻止，这也就是资本家的生产方法内在矛盾的表现。但劳动妇女从这矛盾的发展中，获得政治的意识及组织的力量。她们已经不是家庭奴隶，而是社会的生产者，要用自己的力量来解决自己的问题。女工的罢工，示威，已是这时代的普遍现象。她们知道有产者社会加于妇女身上的一切暴压，也将和这次恐慌同归于尽！

第三节　友爱结婚与性的改良主义

生活在帝国主义时代的人们，时时刻刻感受着战争，恐慌，革命等绝对破坏的威胁，好像在快要爆裂的火山上过日子一样，不安动摇，轻佻浮薄，猜疑恐怖等心理支配着每个人的头脑。因此，人和人间的生活关系，不论是长幼间，亲子间，夫妻间，都表现出极端的利己主义及虚伪的道德观念。

第一次世界大战是对于人类的两性道德，给予了极端的破坏的影响。从来市民阶级所宣扬的“神圣的一夫一妻制，及纯真的恋爱结合”，到了此时已经完全失去其支配的意义。性生活的错乱，颠倒的行为，像洪水一般公然流行于青年男女之间，这里无所谓道德，也无所谓纯真的爱情，只有利己主义的观念，支配了他们的行为。

帝国主义时代的最本质的两性结合的形态，就是所谓友爱结婚。这是男女二人各自做各自的独立生活，而有组织的进行其性生活的一种畸形的结婚形态。他们既不组织家庭，也不要生孩子，既不是正式结婚，其分离亦极自由。这虽然是非合法的结合，但法律也不能把它制止。这种结合，在欧美各国，尤其美国及德国，极广泛的流行着。据玻利夫孙教授的计算，在德国，自十七岁至二十五岁的都市青年男女，四分之三以上都过这种结婚生活。小市民层的青年男女，在社会各种机关中或当职员，或当店员，他们在经济方面都能离开家庭而独立，不受任何拘束，完全获得自行处置自己肉体的权利。但他们倘要正式结婚，组织家庭，生育子女，那他们的经济条件是不许的，而且两方面都觉得不自由。由于这样的关系便发生这种变相的夫妇生活。他们的结合期间数月乃至数年之久，但很少转变到正式结婚的。双方中的一方发见经济上有利的结婚对象时，他们的生活便被决裂。这真是帝国主义时代所独有的两性结合形态。

美国的一位法官林塞想把这种非法的结婚合法化。他主张友爱结婚是合法的。

> 友爱结婚是——因健康，经济及气质等的关系，结婚当时不愿受家庭的助力的人们，为寻求恋爱，友爱关系及协同而结合的合法的婚姻状态。(《结婚的破产》)

友爱结婚决不能解决两性问题，但它在青年间已成了法外的习惯，渐次变成合法的制度，这就是对于近代一夫一妻制结婚的颓废及破产的叛逆的表现。

友爱结婚的结果，一方面使打胎，避孕，弃儿，杀儿等不道德的风习一天天地增长；他方面使一夫一妻制家族制度加速破产。这种现象，在一般支配层的人们看来，是洪水猛兽，非把它遏止不可。于是他们努力提倡正式结婚，由政府去冒充结婚媒介者，同时奖励生育，规定妇女的家庭职务，这样要挽回已濒于破灭的家族制度。现在欧美各国都实行集体的结婚及家族统制的政策。

在这两极端——即一方面公开通奸的友爱结婚，

他方面国家的结婚统制政策——当中，发生了中间的改良主义的性生活运动。其中最值得注目的就是所谓“站在性科学基础上的性改革世界同盟”（略称“性改革世界同盟”）。

“性改革世界同盟”是以俄格斯特福列尔，马格诺斯·黑尔雪福尔及哈维罗克叶利斯等为其主脑人物。他们以为适合于自然的要求和自然科学的东西都是道德，站在这种见地，要确立新的性伦理学。这同盟拟定以下十条纲领，为其指导原理：（一）结婚改革。……婚姻法及离婚的改革。（二）提高妇女的社会地位。……（三）为着完全负起生育子女的责任，实行产儿限制。为着这目的，我们是努力普及无害的避孕手段，同时对于打胎的实施及打胎的惩罚，也要争取自由。（四）对于子孙，完成优生学上的活动。……（五）正确的规定结婚不适者，首先规定性的异常者。（六）宽容自由恋爱的结合。特别保护私生儿的母亲及私生儿。（七）卖淫及性病的预防政策。（八）对于颠倒的性的本能，不把它看作犯罪，或罪恶，而把它看作基因于病的性质的现象。（九）创设性的犯罪法。（十）施行性的教育及启蒙。

这同盟是同其他一切改良主义的运动一样，在现社会制度底下要实现他们的改良主义的理想，但这才是自欺欺人的梦想。已濒于没落的资本主义社会，好像一条烂裤子一样，补好这里，破了那里，终于暴露其丑恶的正体。现社会的一切不伦不类，变态失常的两性关系，正是破裤子里面正体毕露，无法隐蔽的资本主义制度的丑恶面！

第四节　避孕与堕胎

已濒于没落的资本主义社会制度，不单成为经济的生产力发达的桎梏，同时成为人类生殖力发达的桎梏。不断发生的帝国主义侵略战争，及反革命战争，杀死和残伤了无数健全的人民；定期勃发的经济恐慌，产生出广大的失业者及饥饿群；此外仅能持续其个人生命的工人，继续破产的农民，殖民地的“民族奴隶”，以及没有嫁娶的经济能力的小职员店员等等，都成为社会制度的牺牲品，不能执行自然所赋的本能的生殖任务。他们的经济生活决定他们的性生活，他们不单为经济的被榨取者，同时为性的被榨取者。因为他们没有组织家庭生活的经济能力，所以不敢尝试合法的正式结婚；又害怕生育子女，他们只好在社会各方面寻求不负任何责任的泄欲的机会。于是发生了迹近通奸的所谓“友爱结婚”，公的及私的卖淫行为，离婚的频繁，杀儿，弃儿，避孕及打胎等等种种不道德的社会现象。

在如上的社会关系底下，避孕药和打胎术便成为社会的必需品而出现，而且这种知识很快的普及于中下层的青年男女间。特别中小层知识妇女及职业妇女，已很普遍的采用这种方法。因为他们即使正式结婚，但一有了孩子，他的职业便马上发生问题。没有养育子女的可能，所以妇女比男子更有着避孕的决心，假使在避得不得法，受了孕的时候，也要诉诸第二步方法即打胎。关于这问题，我们有很好的统计资料，可以拿来参考一下。

美国的德维士博士对于一千名的妇女质问避孕药的使用与否，结果知道了七百三十名即百分之七三都采用这方法。其中五百二十名为大学专门学校毕业生，四十名受女学校教育，二十名为私立学校教员，四十七名为专门学校在学生，一百零三名为女学校及师范学校毕业生（《结婚的破产》）。

又据美国卡乃基研究所的研究，六百九十七名的妇人中，产儿共有一千三百五十一名。而打胎共有一千八百四十八件，即打胎数超过产儿数（同上）。

以上是美国的实例，但在日本东京也发见了惊人的统计数字。就是单在警察厅管辖内，以产儿调节及通经问答的营业的，共有四十七处，这些营业者报告于当局的数字，访问这些营业者的人数每月平均有五千零七十六名，其收入每月平均有九千八百五十元。以堕胎为业的母友会自开业以来，四年间受理通经问答的数共达十余万件。每日从各地方寄来的询问书，平均有一百件以上。直接访问者亦达二三十人，已受堕胎手术者达于数百名（《女性五十讲》）。

避孕药品的精制及打胎技术的发达，更是促进上面的情势。资本主义社会的支配者们，一方面以避孕及打胎为罪恶，要用法律来制止它；但他方面让资本家去大批制造避孕药，公然推销，这正是一面奖励种烟，而他面禁止吸烟一样的滑稽。

资本主义国家为着挽救已濒于破产的家族及结婚制

度，为着增殖在将来战争中当炮灰的人口，在法律上禁售避孕药，禁止打胎行为，但这种法律在妇女的立场看来，也就是以妇女的牺牲为前提的东西，在现社会底下大多数陷于贫穷不幸的境遇的妇女，生育子女完全是妇女自身的痛苦和负担，无论国家或男子，都不会分担她的痛苦。因此妇女必须有决定受不受这个痛苦的权利，即是说，妇女应当有避孕或打胎的权利。我们要反对这种法律的理由就在此点。

记得数年前，美国的山额夫人到中国来，提倡她的新马尔萨斯主义，就是主张用避孕及堕胎等方法实行产儿制限。她认为妇女对于是否要做母亲或要做几个孩子的母亲的问题，有自行决定的绝对自由，不管男性的态度如何，这问题始终属于妇女自身的权利。虽然山额夫人的所谓产儿制限是一种消极的改良主义的方法，但她所指出的“自由母性”的观念，是值得推崇的。

我们要晓得，在合理的社会制度底下，除了特殊的事情外，总不会发生避孕和打胎的不自然的现象，人类生育子女原是极自然的本能的要求。在不得已的生活条件之下，不得不避孕的男女，也不愿意永久的破坏他的生殖机能，特别大多数的妇女都有特想做母亲的热望。假使社会给她们能做母亲的优惠的条件，那么，避孕和打胎当不禁而自灭！这里有个实例。几年前美国的妇女们邀请刚从苏联回来的女视察员，请她谈苏联的妇女生活。她说："在苏联避孕和打胎均极自由，若要堕胎，国家的医院施以免费手术，极为安全。"谈到这里，听众中异口同声说："那么她们都可以不生孩子了，那是多好呀！"可是这位女视察员摇手说道："不！她们倒喜欢生孩子呢！因为生孩子的妇女是受国家的特别优待。不论在经济上或社会上都认定母亲的特权，既有可爱的孩子，又有国家的生活保障及社会的特权，何乐而不为！"听了大家才豁然大悟！

第五节　第二次世界大战前夜的妇女

自从一九二九年秋天纽约证券交易所的恐慌（Panic）爆发以后，资本主义世界就开始走上了绝望的黑暗之路。许多学者，资本家，投机业者及政论家们，都相信景气循环的原理，主张景气恢复的可能性，渴望着资本主义的黄金时代的再至。可是无情的现实，却打破了他们的幻想。自从恐慌爆发以来，已经有六年之久，而这恐慌不但没有终止的希望，反而更广泛的扩大到世界的范围，更深刻的把握住每个人的心灵。譬方说恐慌是洪水，那么资本主义世界中的人们都淹在这洪水中漂流着，挣扎着。于是乎各国都在讲究自救之道，企图把自国从恐慌的浊流中拯救出来！

可是，自救之道在那里呢？只有一个方法，就是用牺牲他国而繁荣自国之战争！我们知道在这次恐慌以后，各国间已经开始了“你死我活”的战争，这就是所谓关税战争和货币战争，现在这些经济战争正在转变到毒瓦斯和炸弹的战争。在东方的满洲已经打过了头阵，在西方的非州真在准备大屠杀。这样，人们所诅咒的可怕的战神，终于泻到我们的头上来了！现在是人类的大灭毁的前夜，人们都在这可怕的战神之前发抖！

不过，在这二次大战的前夜，我们妇女不能不回想起第一次帝国主义战争时的惨痛的往事，因而又不能不准备应付必然到来的明日的大难。

各资本主义国家的妇女在这二次大战的酝酿期中，

已经经验了种种苦难的生活。各国政府为着缓和失业恐慌，便公然剥夺妇女的劳动权。为着增殖战争中当炮灰的国民，便要妇女在家里生育子女。为着把妇女作为战时的后方兵卒，对于妇女施以军事训练。这样，各国政府把妇女看作准备战争之必要品，把它放在国家的乃至军事的统制之下了！

我们在报纸上时常看到各国妇女们对将来战争的准备的活动，其中最显著的乃是日本和德国的妇女。一九三二年组织的大日本国防妇人会，到今年四月末为止，会员总数达一百六十八万八千四百二十四名，据说这会的发展非常之快，现在在关东州及满洲也有这会的支部的组织，它完全在军部的指导之下，要执行战争中妇女所能做到的任务，是不待言的。

其次德国自从希特勒上台以来，岌岌乎准备战争，到最近宣布重整军备以后，各国妇女也要负起国防的责任。据最近的柏林通讯："现有德意志妇女六百万名已受相当训练，以备战争时为国家服务。此外更有两倍的女子，目下正在教练中，俾国家一旦有事，即可应用此所具之能力，以符新全国征兵制之规定。""…… 目下德国女子加入防空协会及航空学会者约六百万人，其他年在十八岁二十岁至五十岁之间者亦均从事于较普通之活动。总之，德国全体妇女均由国社党加以登记，以备国家有事时之调用。”（《大美晚报》八月三日）

这种情形，在目前资本主义各国都是同样，尤其最近的意大利，真在动员全国的人民，把男子送到非洲的战线，而把妇女编入于军需品工业的劳动队伍，一若第一次世界大战时的情形。

但是在这里，我们妇女必须注意者有两点。第一点就是资本主义社会的战争，表面上虽举起“爱国”或“民族生存”的旗子，但在骨子里却是少数资本家为着获得他们的商品市场，更为着获得大量的利润而发起的东西。战争的结果，即使得到了胜利，也只是几个资本家的胜利，大多数参战的人民不是当炮灰，便是虚幻的欢喜。尤其妇女无论其胜败如何，都不能得根本的解放。第一次大战的经验告诉我们，不论战胜国或战败国的妇女，都只有失去了她们的丈夫和子女，加重了妇女的惨痛的生活！因此我们应当起来坚决的反对战争。第二点，我们既认清现代战争的本质，那么，我们必须在战争中积极的获取妇女自身的解放。我们知道在第一次大战中，苏联的妇女们都很积极的参加这一种解放战争，结果得到了最后的胜利！

第八讲　苏联的妇女

第一节　十月革命与妇女解放

我们常说，妇女被压迫的最基本的原因，就是社会的财富集中于少数男子手里的私有财产制度的存在。换言之，这种社会制度一天存在，妇女便一天不得解放，因此倘若妇女要获得真正的解放，则非根本推翻这种社会制度不可。我想，这种原则的理解是无条件正确的，苏联的十月革命是完全证实了这一理解的正确性。

谁都晓得，帝俄时代的妇女是被男人们当作母牛，当作母鸡，当作比农奴更下贱的一种动物。她们不单没有社会的权利可言，即使在日常的两性生活中间，女人往往是被男人任意使役，任意打骂，甚至任意杀掉，好像处置一只母牛或母鸡一样。然而她们是无法抵抗的，无从诉怨的，好像命运之神紧紧的缚住了她们的手足似的，只好等待着神的裁判！

帝俄时代的妇女，她们对男子的屈辱和奴隶的义务是在沙皇法典上明白规定着的。就是说："在丈夫因职务或其他事情而移住他处时，妻必跟随丈夫。"又说："妻必服从作为家长的丈夫，对丈夫严守爱慕，尊敬和无限服从的态度，对于一家主人的丈夫更表示一切满足和敬慕之态度。"（参考布利夫孙教授的引用文）这种法典是和中国的"三从四德"等礼教初无二致。从这里我们可以知道帝俄时代的妇女是受着如何残酷的压迫的事实。

我们知道在别的先进国家（如法，英，美），资产阶级的民主革命是唤起了广泛的妇女解放运动，这种情形在俄国也是同样的。不过，俄国资产阶级革命是到了一八六一年在所谓农奴解放的名义之下才实行。这是最落后而且最不彻底的民主革命。详言之，俄国的所谓农奴解放，是政府及贵族资产阶级一手包办的东西。当时农民所分得的土地，不但不够维持他们最低限度的生活，而且以法律所规定的偿还地价时的新负担，更使他们陷于极度的贫穷。因此在农奴解放以后二年中间，只在二十九县中发生了一千一百余次的农民暴动。可是政府竟以武力把它镇压下去了。这样，俄国的农民是从旧的封建剥削底下“解放”出来，再箝上了新的资本主义剥削的枷锁。俄国的资产阶级女权运动就在这样极不彻底的民主主义运动中产生出来，所以它本身也是不彻底的。当然在俄国有许多杰出的妇女，在罗曼诺夫王朝的极端专制政治底下参加了种种社会改革的运动。例如在虚无党及“到民间去”的运动中，有许多女英雄参在其间。可是妇女自身的解放运动比较先进诸国，却更落后，而更不彻底，俄国的妇女参政运动及教育运动，直至二十世纪初还没有普遍的展开，全国妇女仍然在封建遗制底下过着牛马的生活。

十月革命是打开了人类解放史上的一个新的阶段。这个轰轰烈烈的社会大变革是俄国落后的妇女们所不曾预料到的。俄国七千万妇女大众在强力的十月革命的光芒之下，像从一场噩梦中醒悟起来了。十月革命是给她们以完全的人的权利，给她们以生存发展的机会，甚至给她们以人类应当享受的幸福。这样她们遂获得了她们所不曾预料到的完全的解放。

为什么十月革命能够给与妇女以完全的解放呢？这个回答是很容易的。因为它是根本推翻了社会的财富集中于少数男子手中的私有财产制度，它是给妇女以“各尽其能”的机会，它更造成了妇女的自由发展的社会条件。

我们知道，最进步的资产阶级的民主革命也只能提出妇女解放的问题，而并不曾解放她们。为什么呢？因为它是不要撤废财产私有制度，因此在这不合理的男权的社会制度下要解放妇女，显然是不可能的。关于这个问题，伊里奇是在《苏维埃政权和妇女地位》一文中很明快的说着：

> 资产阶级民主主义是在口头上满口答应自由和平等。可是在实际上，即使在任何一个最进步的共和国，对于占人类半数的妇女，不单不认定男女在法律上完全有平等的权利，而且不相信妇女能够从男子的隶属和压迫解放出来。

伊里奇又在另一机会，即在莫斯科妇女劳动者会议席上的演讲词中有如下的一段话：

> 要撤废那些时代落后的法律，要给妇女以法律上与男子同等地位的这种要求是在一切资产阶级的解放运动中，已经从很久以前，不仅是数十年，就是从数百年以前的往昔，早就被提出来的。虽则如此，就任何一个民主主义的共和国看来，即使就最进步的共和国看来，并没有一个国家能够实现这个要求。为什么呢？因为在资本主义支配着的地方，在土地私有制及工场经营的私有制存续着的地方，在资本的独裁维持着的地方——在这些地方是男子常常握着特权的缘故。然而在苏联就能确立了妇女的同权，这个理由很简单，就是因为在这里，自一九一七年十月二十五日以来劳动者阶级已经握着支配权的缘故。苏维埃政府是在其成立之初，就以撤废一切的榨取——即剥削他人的劳动力而自肥的一切制度，而要成为劳动大

众的政府为其最大任务。……苏维埃政府要撤废土地的私有制，工场经营的私有制以及一切的财产私有制，而建立劳动者的生活。因为这个私有财产制度是在全世界到处，就是在民主主义的国家，都能使真实者陷于贫困和工钱奴隶，使妇女陷于二重的奴隶制的缘故。

这样，十月革命所产生的苏维埃政权是对于妇女解放的问题，规定了如下的基本任务：

（一）法律上及道德上男女的社会平等化，（二）婚姻法及亲族法的根本改革，（三）承认母性为一社会的职能，（四）母性及幼儿的保护，（五）关于青年的社会的保获及他们的养育，实现社会的设施（如托儿所，幼稚园，儿童之家，养育院等），（六）为灭绝家政上的负担，创设种种设施（如共同食堂，共同洗衣场等），（七）对于使妇女奴隶化的伊第奥罗基及传统的习惯，实行文化斗争。

这个基本任务自苏联存在以来到现在，继续不断的在努力实现，而且其大部分已经是被实现了。原来一种制度的根本改革，决不是短期间所能实现的，尤其像苏联那样本来比较落后的广大的国家，还有许多部分是只有制度上的改变，而在实际生活上男女不平等的事实仍旧存在着，然而这是不可避免的历史的事实。

总而言之，十月革命不仅解放了苏联的工农大众，同时解放了占苏联全人口半数的妇女大众。它不仅打开了全世界工人大众的解放前途，同时指出了全世界被压迫妇女大众的解放路线！因此我们可以这样说，苏联不仅是世界劳动者的“祖国”，并且是世界被压迫妇女大众的“祖国”。

第二节　苏联的家族及婚姻问题

我们记得，在十月革命后数年间，资本主义世界里布满了关于苏联的种种谣言。据说在这儿是“共妻乱交”，“道德沦丧”，又说是“强制劳动”，“鱼肉人民”，甚至说：“鲍尔雪维克的榨取超过布尔乔亚的榨取！”

可是谣言毕竟不是事实，在苏联的民众未曾起来辟谣以前，第一次五年计划的成功以及新社会的加速文明化的事实，便把那些含有敌意的谣言打得粉碎了。到现在只有希特勒一类的人还在高谈苏联的“野蛮性”外，稍稍具眼光的人，谁都不会否认苏联新文化的飞跃发展。特别在这飞跃的发展过程中，苏联妇女的社会活动，是表示了苏联文明在世界中的优越地位，同时引起了全世界被压迫妇女大众热忱的羡慕。

可是十月革命所提出的各种社会问题中，最能引起人们兴味的就是苏联的家族及婚姻问题。这个问题，无论是资产阶级的学者或社会主义的学者，无论是政治家或商人，都以富于兴趣的眼光去注视它或猜测它。然而十月革命究竟是怎样的解决了这个问题呢？这就是我们在这儿要讨论的问题。

本来，适应着资本主义制度的家族及婚姻制度，是随着资本主义制度的崩坏而跟着崩坏，这是不待赘说的。十月革命是以社会主义制度来代替了资本主义制度，然而这所谓社会主义制度下的家族及婚姻制度，究竟以如何的形态出现呢？

许多浅薄的学者们以为：当资本主义制度破坏的那天，它的家族及婚姻形态也便马上跟着消灭，这是错误的见解；我们以为，那种家族及婚姻形态，到了社会主义制度完全被完成的社会里才会消灭。然而我们要一跳就踏进那样完全的社会是不可能的，在资本主义社会和社会主义社会中间，横着很长的过渡时期。这过渡时期是充满着要以新的制度来替代旧的制度的猛烈的斗争。现在的苏联正在过渡着这个时期。在这个时期中，社会的新设施还不能完全负担起从来家庭的种种职能——例如教育的，扶养的，政治的以及其他家政上的职能。因此苏联政府也不得不把家庭当作补助的社会构成体而利用。虽然如此，资本主义制度的崩坏这一事实，是给从来的家庭以最大的影响。家族便从资本主义的市场法则被解放，家庭是向着个人的自由结合的前途开始迈进。现在苏联的家庭已经从小商人的私有财产的影响解放出来，同时把家庭的种种职能，慢慢的让给国家。这样国家是随着社会主义建设的进行，渐次把这些职能负担起来，从来的家族形态也跟着发生了本质的变化。

在这种社会的转变期中，男女的婚姻关系也发生了激烈的变化。在苏联法律上是有结婚登记制度的，但这只不过有着单纯的技术上补助的意义。详言之，结婚登记制度是“为着国家及社会的利益，为着一身上及财产上的诸权利，为着容易保护夫妇及子女的利益”而设的。即使没有登记，但有同居的事实，则法律上也认定其结婚的关系。苏联的婚姻亲族法是为着保护结婚及家族的最弱的主体，加以特别的注意。为了这个目的，法律是认定无登记的结婚，为着不能劳动而穷苦的丈夫，为着因失业而穷苦的丈夫，为着妊娠及产后的母性，都规定了要求赡养费的权利。

在苏联，离婚是一任于各配偶者间任意的协议，而且离婚手续亦极简单。这样，法律赋予了离婚以广泛的可能性的结果，许多不自爱的男子就在这法律范围内尽其玩弄女子的能事。第十二次全苏联中央执行委员会第二次会议的记录中有如下的一段话：“现在无论男女都非常的放纵。某男子有二十个妻子，就是和这一个妻同住一星期就离开，又和那一个妻同居二星期就离开，这样同居下去，结果每个妻都有一个小孩。”苏联男子的这样性生活的无政府状态，这种离婚自由的滥用是公开的蹂躏了无数的青年妇女，同时使她们受了不可名状的痛苦。

结婚及离婚的频繁，结婚外的性生活的广泛的流行，是表示着苏联家族组织的不安定性。十月革命以后数年间的内战时期及其后新经济政策时代，苏联青年男女间的性交是以一种反动的形态出现的。就是说在那个内乱时期，全国青年都为了拥护苏维埃政权，把整个的生命贡献给革命的斗争！他们没有工夫去谈恋爱，过结婚生活，他们只能在单纯而露骨的性要求的压力下，实行一瞬间的性交。这里无所谓相互的爱好，亲密的感情，爱慕，恋爱等要素。在当时一般青年男女都否定所谓恋爱，在他们看来，恋爱是“布尔乔亚的偏见”。一九二七年拉斯博士是对于几个专门学校的学生实行了关于性关系的调查。在这调查中差不多半数的学生都否定恋爱，他们说：“在我们看来所谓恋爱是不存在的，只有性的关系而已。”

关于这个问题，伊里奇曾经有过很深刻的批判。他和蔡特金女士的谈话中有这样的一段话：

青年们对于性生活问题的狂妄的态度，在“原则上”自认具有理论的根据。许多青年把自己的态度看作“革命的”态度或“共产主义”的态度。然而这是和我们共产主义者所理解的自由恋爱，并无何等共通点的。你可知道他们的所谓在共产主义社会，要满足性的欲望及恋爱的要求，好像喝一杯水一样，单纯的无意味的有名的理论吧。我国青年们便在这种“一杯水式”的理论下狂妄起来的。这真是不可名状的狂妄。这种理论就招致了许多青年男女的恶性的命运。这理论的信服者竟以为这就是马克斯主义的理论。请多谢有了这样的马克斯主义！

“一杯水式”的理论，在苏联青年间一时有了相当的势力，而且这种理论的实践者亦达于相当的多数。例如一位共产青年同盟的负责者，关于自己的组织发表如下的一段话：“男子们是尊敬女子们，但这是有一定的目的。虽达到了目的，但能够达到结婚的是很少很少。大体上女子被遗弃。这样为了女子自己的脆弱而受人嘲笑的事情往往有之，同时堕胎便非常广泛的流行着！”

可是这种伪马克斯主义的恋爱观，性的无政府状态，狂妄的性行为，是把苏联的无数青年妇女陷入于不堪忍受的苦恼生活里。然而这是一时的，革命动乱期所不可避免的现象。苏联的领导者们是用种种理论及实践，竟把它克服过来。自从第一次在五年计划成功以后，苏联社会主义的经济基础开始巩固，而在这经济基础上从新建立了新的家族及婚姻关系。

尤其到了第二次五年计划正在成功的现在，苏联人民的家族的，恋爱及结婚的生活，完全脱出了动乱时代的那种不安定的，轻佻浮薄的，狂妄的姿态。所谓“一杯水式”的理论早已被清算了。结婚及离婚的自由，再也不被那些败类男子们所利用或滥用，在国家的积极奖励之下，婴儿的生育率一天天地增加，避孕、打胎等不自然、不道德的事也渐渐的减少下来。这样，家族生活，一方面完全脱去资本主义的商贾的利害观念，而家庭便成了各个人的自由幸福的生活组织。他方面从来家庭的职能也随着国家的社会施设的发达，渐次移让于国家之手。例如教育，扶养及其他一切家政上的职能，都让给国家去办理。而每个家族员尤其妇女都能从细碎，繁杂的家务中解放出来，当作一个堂堂的社会人而活动。这样，现在苏联的妇女是不单在法律上社会上得到与男子平等的权利，同时从不可避免的日常家庭琐事中，从结婚及离婚关系中，得到了解放。

第三节　苏联妇女劳动之发展

自从一九二九年世界经济恐慌爆发以后，各资本主义国家都为了缓和男工的失业恐慌，从各种社会机关中驱逐妇女，以男工代之；可是在苏联不但没有这类事情发生，劳动妇女的数目反而更加倍的增加。据苏联劳动组合中央评议会统计部的调查，则自一九二九年至一九三三年间，妇女雇佣劳动者数有五百万人之增加。

年　月　日	就业妇女数	全体雇佣劳动者中妇女所占的百分比
1928 年 10 月 1 日	2 394 500	24.6%
1933 年 7 月 1 日	7 066 900	37.7%

由上表看来，苏联雇佣者的三分之一为妇女，而且她们都是在第一次五年计划实施中被雇佣的妇女。

又据苏联中央统计局的数字，则在生产手段产业中妇女劳动者所占比率，在一九二八年为百分之一一点三，但到以后表示着几何级数的增加，但是，据苏联劳动组合中央评议会的意见，则“妇女在苏联经济组织中还没有充分进行重要的任务。因此为要使更多数的妇女获得产业的企业管理者的地位，对于妇女给与更多的受职业教育的机会，这是劳动组合的一个义务”。

苏联的妇女在科学方面也获得了若干的最高地位。在苏联教育人民委员会管辖下的高等教育实施中有四十一名的女教授，二百七十一名的女讲师，四百七十一名的助手及六百五十六名的练习生。

在产业部门中，从事熟练职业的妇女数也有急速的增加。现在把一九二六年十一月的一般国势调查的数字和一九三一年五月施行的都市人口调查的数字比较起来，一九二六年从事各种产业部门的熟练金属女工只有四千八百人，但到一九三一年增至八万六千七百人，其次发电所的妇女技手数在一九二六年只有六百人，到一九三一年增至一万二千五百人。又在同一时期中皮革产业的熟练女工由五千九百人增至二万九千二百人，印刷工业的熟练女工也由五千二百人增到一万二千九百人。这样，妇女劳动者的数目，特别从五年计划开始增加。一九三三年增加至百分之二四，又在消费品产业中所占的女工数目的比率，在一九二八年为百分之五〇，但到一九三三年增至百分之五七点二。

在重工业的若干部门，妇女雇佣者数目也不绝增加，而且在这些部门的劳动，都采用作业的机械化及合理化的种种措置，完全解除了妇女健康上的危险，到现在妇女都能从事业于钢铁矿，炭矿，机械化工厂，化学工厂等的劳动。在这些地方，她们学习生产技术，其劳动更高度的熟练起来。

苏联的妇女在社会各种机构中更占有管理者的地位，这是很值得注目的。据中央统计局的调查，在经济活动的各种部门当专门家或责任者的雇佣妇女数，在一九三三年十一月已经有八万四千六百人，即占有责任地位者全体中的百分之一〇点一；又在产业方面占管理地位的妇女达于四万三千人，即在全体管理者中妇女占百分之九点二。这里还要注意的，就是医生及教员中妇女所占的比例很高，但这两种妇女并没有包含在前面的数字中。

在劳动组合中占管理者地位的妇女数也继续增加。劳动组合的负责职员（管理部员，劳动组合支部长，中等及高等的劳动组合教育机关的教员等）中妇女所占的比例也从一九二八年的平均百分之一〇而增加到一九三三年的平均百分之二〇。

特别在各地方，妇女教育水准的向上及妇女活动的发展更为显著。据苏联共产党第十七次大会中史达林氏所报告的数字，则六千所集团农场完全为妇女所指导，做集团农场的管理部员而活动的妇女达于六万人。此外当突击队长的妇女有二万八千人，妇女的劳动组合组织者达于十万人，这些都是为世界被压迫妇女大众所热烈羡慕的。

苏联妇女的雇佣劳动，在量的及质的方面都有急速的进展，而且这进展是和妇女教育水准的向上有着密切的关系，因此妇女劳动的构成较之男子，自有多少的差异。先就年龄言，妇女劳动者的大部分为三十岁未满者，而且其半数以上为二十五岁未满者，这是值得注意的一点。据劳动组合调查的结果，则铁钢业中二十三岁未满的女工比率占百分之六〇，但同一男工的比率仅有百分之三六点三。又运输机械制造业中二十三岁未满的劳动者比例，妇女为百分之六一，男子为百分之三一。汽车及电犁产业中的同比例，妇女为百分之六六点五，男子为百分之四八点二。

其次就出身观之，大部分的女工是由学校直接进入于产业，其比率为百分之三三乃至百分之三六，而且其大部分为劳动者的女儿，这也是值得注意之点。还有不少部分（百分之二五乃至百分之二七）是农村出身者，她们是属于不加入集团农场或集团耕作的贫农阶级。从前当过主妇或雇佣妇的女工也有百分之二五乃至百分之三〇。

至于青年女工，是和青年男工比较起来，其智育的发达不但没有丝毫低劣，反而更表现出优秀。完全没有受过学校教育的，或者只受过二年以下教育的女工集团，大抵是限于特定年龄的妇女，即其大部分为主妇或佣妇。在这种妇女中要受教育而增进自己能力的欲求非常强烈。

劳动组合中央评议会是从完全没有受过教育的妇女中驱逐文盲，使教育不充分的女子的知识水准提高到小学四年毕业程度，同时应用适当的宣传，对于小学毕业的妇女及少女，使之获得相当于七年课程的学力，这便是劳动组合组织的任务。

劳动组合妇女干部的养成也是加强起来。例如莫斯科高等组合学校，一九三〇——一九三一年度学校中学生总数八百二十八名中，百分之一七点一为妇女。又在地方劳动组合学校中，女学生比例在一九三二——一九三三年度为百分之二一点四，但一九三四年初增加到百分之二五点四。

最近数年间妇女雇佣劳动的发达，是有赖于经营内诸设施的发达者甚大。例如经营内的食堂，托儿所及幼稚园的设施是减轻家庭妇女的负担。这种设施的组织在数年前早已开始，但其大部分到了五年计划实施时方才扩大起来。

在一九二八年工人食堂仅有六千零二十六所，但到一九三三年增加到三十八万七千所，利用人数都市及农村合算起来，共有二千六百六十四万七千人。其次的都市中托儿所数，在一九二六年只有五万二千四百所，但到一九三三年增至二十六万二千七百所。又在一九三二年农村中的常设托儿所数有三十五万零四百所，夏期农忙托儿所数达三千九百五十二所。

幼稚园的儿童数在一九二八——一九二九年度仅有十二万九千名，但到一九三二年——一九三三年度已增加到一百十四万六千名。此外在一九三二——一九三三年度四百零八万五千的儿童利用了夏期学校及游戏场。又一九二九年社会保险预算是对于儿童的福利设施维持经费，仅有三千二百万卢布，但一九三三年度的同预算是达于一亿八千一百万卢布。

由此看来，苏联妇女在社会上能够同男子一样活动的原由，是在于苏联整个社会制度及组织上面。本文中所处理的资料是两年前的东西，到现在，上面的各种数字都有加倍的增加，是可以断言的。在资本主义世界闹着失业恐慌，饥饿骚动的时期，只有苏联不受任何不景气的影响，而妇女劳动遂行高速度的发展。这种发展决非仅仅是苏联妇女得到胜利的表现，同时就是一切被压迫妇女大众胜利的信号。

第九讲　妇女问题的内容及其发展

第一节　妇女问题的发生条件

我们在前面数讲中，大体讲明了各主要时代及主要社会的妇女生活，由此可以得到如下的结论：

一，原始共同体社会内，妇女除了负担养育子女的责任外，更能够同男子一样参加一切社会的生产活动，因此妇女在社会上占优越地位。

二，自从私有财产制发生，财富集中于少数男子手里以后，妇女在社会生产上成为男子的补助者，甚至脱离生产劳动，而只执行消费任务，从此妇女便处于男子的隶属地位之下。

三，因此，妇女若要获得和男子同等的社会地位，则须先具备妇女也能够参加生产劳动的社会条件。同时必须以共同生产，共同消费的更高的社会制度，来替代财富集中于少数人手里的私有财产制度。

假使说，以上的结论是没有错误的，那么，我们可以确信的知道：所谓妇女问题决不是女性对男性的问题，而是妇女对社会制度的问题。它和其他种种社会问题，例如经济，政治，法律，宗教，教育，劳动等等问题，有着密切的关联，同时成为这些问题中的一环。所以，妇女问题也和其他的社会问题一样，在一定的历史的根据底下存在着，又在一定的社会的条件底下被提起或被解决。

我们要晓得，任何一个社会问题，都在其解决所必需的物质条件未曾存在或者未曾把握这条件的生成过程以前，是决不会被提出的，所以，史的唯物论者正确的指出："人类从未提出自己所不能解决的问题。"

就妇女问题言之，在过去奴隶制社会及封建时代，虽然存在着妇女被压迫的事实，但因为可能把它解决的物质条件还未存在，故无所谓妇女问题。到了资本主义社会，随着生产技术的发达和科学文明的进步，解决妇女问题的物质的及精神的条件渐见成熟，于是这问题便成为主要的社会问题。最后在未来的新社会，妇女问题是不会存在的，因为这问题从资本主义社会推移到新社会的过渡时期中，已经得到了根本的解决。

然则，到了资本主义社会，妇女问题在如何的社会条件底下被提起的呢？关于这问题，我们可以从以下三方面加以观察。

第一是经济的条件。自从资本主义的商品经济替代了封建的农业经济，机器工业替代了手工业以来，从来在家庭内处于经济的消费者或补助生产者地位的妇女，都能参加国民经济上有价值的生产劳动。如加入产业工厂，创造社会的价值，在生产上占着和男子同等的地位。这种妇女劳动者在产业革命当时，已经有可观的数目，到现在在产业发达的国家，女工数几乎凌驾于男工数。她们是提出妇女问题的主观的基本要素。

第二是社会的条件。社会的经济基础的变化，必然引起政治上，法律上，道德上以及家族，宗教，教育等社会生活的根本的变化。宗教革命是打破了妇女对僧侣的迷信生活，法国大革命是启示了妇女的政治生活，国民义务教育制度的实施，家族制度的变质，以及资本主义的新道德的树立等等，都使妇女放弃了从来的因袭生活，而建立了适合于资本主义社会的新的生活关系。换言之，女子教育的普及，家庭内妇女任务的缩小，男女间社交公开，恋爱及结婚的自由乃至职业开放等等，都是促进妇女自觉的社会的条件。

第三是意识的条件。资本主义社会的经济基础及其社会生活所反映出来的意识形态，也是提出妇女问题之一个要因。例如自由主义及民主主义思想，给妇女问题很大的影响。尤其美国的《独立宣言》及法国的《人权宣言》，强力的刺激了欧美妇女的人格的自觉。市民社会的知识妇女们，便由此发起了女权主义的妇女运动。

要而言之，妇女问题在资本主义社会从封建社会的胞胎中蜕化出来的时候，便由新兴的市民阶级提了出来，一直到现在还没有把它解决。但是市民阶级随着这社会的发展，不断的制造了解决这个问题的客观的及主观的可能条件。同时不断地充实了妇女问题的内容。

我本想在本讲中，关于每个妇女问题，加以详细的考察，但是所谓妇女问题这名词所包括的问题非常之多，而且它是继续发展，继续提出新的问题。例如最近在各国提出来的妇女回家问题，或女子军训问题，决不是属于劳动问题或教育问题，它显然带有独特的新的性质。若要把这类问题都加以说明，则不单为篇幅所不许，而且在讲述上亦有不便，因此只能选出几个主要的问题，如政治，教育，职业，劳动等问题讲述它的发生及发展的过程便止。

第二节　参政问题

所谓参政问题，乃是妇女在政治上要获得与男子同等权利的问题。我们知道，在封建社会虽也有过掌握大权的女皇，及其他富有政治的贵族妇女。但这是特殊的，至于大多数妇女，则绝对与政治无缘，正和农奴一样无过问政治的资格！可是，自从近代市民阶级以民主主义的武器，击破专制王国的时候，便由他们提出这个问题。换句话说，妇女参政问题就是布尔乔亚民主主义的产物。

关于这问题的发生原因，已在前节中论及，在此，只就其历史的发展过程加以简单的叙述。在历史上看来，参政运动最先发生的是法国。在一七八九年法国大革命时代，靠杰和罗兰夫人发表女权宣言书，主张男女在政治上平等，这是妇女参政运动的嚆矢。可是，到了拿破仑一世时代，制定所谓拿破仑法典，这法典，不单否定了妇女的参政运动，反而把女子放在男子的奴隶的地位。一直到了一八三六年的七月革命及一八四八年的二月革命，妇女的参政问题再被提出，圣西门，傅立叶等空想的社会主义者极力的提倡男女平权。自从一八七一年拿破仑第三失败，共和政府复兴以后，参政运动的团体，像如雨后春笋般的产生出来，但至今仍只是得到地方自治团体议员的选举权。所以妇女参政运动虽发源于法国，但法国妇女至今还没得到正式的参政权。

其次，英国的妇女参政运动，开始于一八一九年以后，它是受了华尔斯登格拉夫脱女士的女权拥护论的影响，一八三二年选举法改正前，和一八四〇年谷物条例，以及奴隶反对的二大社会运动等促进了女子底觉悟，她们深深的感到政治的兴味。从此以后，不但妇女方面组织各种政治团体，而且自由党与保守党也组织妇女参政团体。例如妇女参政权协会，国民联合会，和妇女社会及政治联合会等，为其中最有力的妇女团体。前者是温和派，要靠立宪主义达到成功的；后者是激烈派，其运动常常越出常轨，故又称武断的参政运动派。但是她们的运动，在大战以前，得不到何等效果。在大战以后，因为妇女在大战中，在军事及经济上的贡献甚多，一般的男子对妇女的态度与前不同，所以妇女参政权法案，终于在一九一八年十月二日在下院以二百七十四票对二十五票通过了。

美国妇女的参政运动发生很早，一七八三年美国独立战争的时候，妇女也和男子一样，对国家有所贡献。因此，在一七八七年，宪法会议的时候，妇女们要求市民选举权，这就是美国妇女的参政运动的开始。其后一八三〇年到一八四〇年的十年间，为奴隶解放运动的时代，这时，妇女大受刺激，组织妇女参政运动团体。但她们的活动，也到大战后才得成功。

除以上三国外，其他国家，亦次第的承认妇女参政权。兹举出各国承认妇女参政权的年代表如下：

国　名	实施年限	条　件		
澳洲	1902 年	选举权 被选举权	21 岁 25 岁	男女同
芬兰	1906 年	同	21 岁 25 岁	同
苏联	1917 年	同	18 岁	同
丹麦	1917 年	同	20 岁 25 岁	同
德国	1918 年	同	21 岁 25 岁	同
奥大利	1918 年	同	21 岁 25 岁	同
匈牙利	1918 年	同	24 岁	同
英国	1918 年	同	21 岁	同
美国	1920 年	同	21 岁	同
比利时	（地方自治体） 1920 年	同	25 岁	同
土耳其	（地方自治体） 1926 年	同		

如上表所示，大多数的国家，都是在大战以后才承认妇女的参政权利，但无论那一个国家，对妇女参政权，没有像苏联的妇女那样彻底和广泛，这绝不是偶然的！因为资本主义社会的参政权，在表面上是民主主义，但在实际上，有种种经济的及社会的限制，没有钱的人，根本没有在政治舞台上活动的余地。尤其，世界政治进

入于法西斯阶段以后，所谓德谟克拉西的假面，尽被暴露，一世纪以来，斗争得来的参政权，都为几个英雄的独裁者们所夺去。到现在，参政问题似乎已经过去了。

第三节　教育问题

这里所谓教育问题，乃是妇女在教育上要获得与男子平等地位的问题。这问题的主要内容，就是要求对女子开放中等以上的学校，要求给与女子和男子同等的学位，要求撤废一切性的差别教育等等。这和参政问题同样，成为妇女问题的重心，同时成为十九世纪初头以来的一般女权主义运动的基本纲领。

教育原是人类生活的一种方法。人类除有本能的生活外，还有智能的生活，而所谓智能，乃是由经验得来的东西，人类有了这种智能，才能和动物分家，才能创造人类社会的文化。人类为着保存和创造这社会的文化价值，就用教育的方法相互传授经验的智能。因此就广义言之，自有人类便有教育。又借杜威的话来说："生活即是教育。"详言之，教育就是人类要适应自然环境和推进社会生活的一种方式。这里无所谓男女之分和贵贱之别，大凡有益于人类生活的知识与技能，都必须相与阐明和传授的。

我们知道，在原始共同体社会，教育的目的是和社会的目的一致的。在那里并无阶级的差别教育，也没有性的差别教育。共同体的生活仪式及生产劳动，是和教育密切的结合着。可是自从社会发生了阶级和男权以后，就有了教育上的男女之分和贵贱之别。详言之，贵者是受指挥贱者的教育，贱者是要受被贵者指挥的教育。同样的，男子是受支配女子的教育，女子是要受被男子支配的教育。希腊罗马时代的贵族及自由民是贵者，奴隶是贱者；封建时代的领主及僧侣是贵者，农奴是贱者；资本主义时代的有产者是贵者，无产者是贱者，同时以上各时代的男子是支配者，女子是被支配者，在他们间的教育有明确的区别，决不可混同。在中国封建时代，“民可使由之，不可使知之”，是对农奴的教育政策，“三从四德”及“女子无才便是德”，是奴隶妇女的教育原则。这样，原始共同体崩坏以来的教育，不单跟生产劳动分家，同时有阶级之别和男女之分。妇女教育问题的历史的社会的根源，就在此点。

可是，到了资本主义勃兴时期，市民层意识地提出了这个问题。十八世纪法国的教育学者斐乃伦（Fenelon）及孔达尔塞（Condorcet）热心的拥护女子教育。到法国大革命以后，女子教育问题，已经成了主要的社会问题。特别是英国的华尔斯登格拉夫脱女士在其所著《女权拥护论》中，具体的提出这个问题。从此以后，这问题便成了女权运动的中心问题。

在封建时代，女子在极度的压迫之下，其教育根本不能成为什么问题。就是说，除了极少数的贵族妇女在闺房或僧尼中，修得贤母良妻主义的家事知识外，大多数妇女都完全处于文盲状态。但到这个时期，新兴的市民阶级，同国民义务教育的问题一块提出了女子学校教育的问题。这决不是偶然的。聪明的市民阶级为了建设资本主义的社会，就需要国民教育的普及，同时需要女子的现代化教育。

资本主义的生产方法，不单把生产组织本身社会化，同时把全体人们的生活社会化。引入于资本主义的生产关系的社会成员，无论是男子或女子，都必须有普通的国民知识，这样才能够提高社会的生产力，才能增进市民层的利润率。这就是最初提出女子普及教育问题的主要原因。其次，受了高度现代化教育的市民阶级的男子们是需要能够“读写算数”的现代化妇女，来配合他们的生活。而且需要有着科学的教养的妇女，来养育他们的子女。另一方面，市民层的妇女自身，也在家族制度日见破产的时代中，自觉到丈夫和家庭的不可靠，就需要获得用以保障其生活的新知识。由于这两方面的需要，就提出了男女在教育上平等的问题。

女权主义者们所提出的女子教育问题，自从十九世纪中叶，已经得到部分的解决。一八六七年对女子最初开放大学的是瑞士，其次是英美，从此以后，各国次第实行开放，直到大战前后，女子教育问题，似乎完全被解决了。不论在那一国，只要你有钱便可以进大学，修得同男子一样的知识，更可以得到学士或博士等头衔。于是，女权运动者们带着胜利的微笑说：“教育问题被解决了！”但是我们却可以这样回答：“市民阶级的女权主义者自身的教育问题，也许是已被解决，但大多数妇女的教育问题，并没有得到解决呵！”

当然，高等学校的门是开放着，但要有钱的妇女才得进去，可是没有钱的妇女太多了！问题仍然没有解决。现在，女权主义者们再不愿意去解决这个问题，因为这并非单纯的教育问题，而是有钱读书和没有钱读书的问题。这当然是她们所不愿提起的问题。不过，这问题不解决，所谓女子教育问题不能得到根本的解决。

第四节　职业问题

妇女的职业问题也和参政问题及教育问题同样，就是妇女在职业上要获得与男子同等权利的问题。这问题的内容，是要求同一劳役，同一报酬，要求保护母性，要求开放各部门的职业，要求撤废一切职业上的性的差别待遇等等。关于这个问题，我国许多关心妇女问题的人，曾经有过热烈的讨论。但一般关于这问题的本质的理解，尚嫌不够。尤其到最近世界经济恐慌勃发以后，这问题不单没有得到进一步的解决，反而更引起了种种纠纷。因此，我觉得这问题仍然有提出讨论之必要。

妇女的职业问题，也是资本主义社会的生长过程中的必然产物。资本主义打破了封建制度以后，把一切社会事物都按照自己的需要而重新组织起来，使之适合于它的发展。一辆火车的疾驰山顶和一架飞机的飞翔天空，固然是适合于资本主义的生长；一位政治家之仆仆征尘，和一位农夫的碌碌田野，也是适合于资本主义的发展。同样的，一位女职员在写字间里忙于打字，或一位女店员在百货店中忙于应酬顾客，也就是适合资本主义的存在与发展。换句话说，资本主义的社会的一切事物，都为着增殖资本家的利润而很适合的被安排和被组织着。所谓妇女职业者，也为适应这个需要而产生出来。

所谓职业妇女，广义的说，是一切出卖脑力或筋力而换得生活之资的妇女。即劳动妇女也包含在内。但狭义的说，就是有多少事务或技术能力的被佣者及营业者而有独立的地位的女子。普通所谓职业妇女，是指后者而言，故在此亦以后者为问题的中心。

关于职业妇女所以产生的具体原因，可以从两方面去观察。一方面，资本家的生产方法不单需要大规模的经济的生产组织，同时需要庞大的消费及流通机关。而资产阶级为着增殖其利润，要用最敏捷最经济的方法去运转这庞大的社会机构。于是做事敏捷耐劳，而劳役条件极便宜的妇女技术者，便成了他们的需要对象。他方面，资本家的生产方法，渐次破坏了旧有的家族经济及家族制度，同时把整个社会成员分利润生活者和工钱生活者两种，而单靠工钱生活的男子，大多数都无力养活自己的妻或女，即其妻或女也非成为出卖劳力或脑力的工钱生活者不可。由于这两方面的基本原因，职业妇女的数目，日益增加，同时，妇女职业问题，便成为主要的社会问题。更成为妇女解放运动的中心问题。

这问题在欧美，已于十九世纪初期为一般人所注目的问题。在资本主义勃兴时期，虽则一方面妇女不得不向社会找寻职业，他方面社会也需要妇女职业者，但妇女踏进职业界去，经过了许多艰苦的斗争。男权社会对于妇女的最下层筋肉劳动，是比较顺利的开放，但对于比较高级的精神劳动，却不肯轻易开放。就是说，一位妇女当女工时，男权社会视为平常，似乎妇女只能做那种低级的工作，但若要去当女医生或女教员，那就提出许多的议论来，说妇女有职业是破坏家庭的因素，是紊乱风纪的祸根，说妇女是天生低劣的东西，不能胜任社会大事，诸如此类，不一而足。最近在我国也有此种现象，就是为排斥职业妇女，以最侮蔑的“花瓶”之名加于她们身上，尤其在这次广州男女职业斗争中，男子方面提出社会风纪问题来排斥妇女。尽管这样，资本主义的历史使命，却必然的打开妇女的职业前途，而又不能彻底解决这个问题。据最近的推算，全世界劳动妇女，约有一万万人。单单美国已经有一千万人之谱，其中所谓狭义的职业妇女，至少占百分之一〇以上。又据“大正十年日本劳动年鉴”，日本的职业妇女（女工有三百五十六万）总数八十六万五千零七十八人。其中从事于医药界，教育界，官厅的妇女有二十一万八千九百五十八名，从事于商业界的妇女有六十万五千七百九十三名，从事于产业界的妇女有一万七百二十七名，从事于其他业务者有二万九千六百名。这已经是十余年前的数目字，现在当不止此。我国的职业妇女，虽没有可考的数字，但其数目日益增大，是可以断言的。

在这样职业妇女的数目日见增加的当中，资本主义社会发生内在的破绽。自一九二九年起爆发了无从挽救的世界的经济恐慌，各国的资产阶级为着从恐慌的狂澜中挽救自己，实行法西斯蒂的统制政策，这种政策便马上影响于妇女的职业问题。就是说，各国都为着缓和失业恐慌，驱逐妇女从职业场所回到家庭去，而以男子失业者来代替，于是职业妇女遭受了空前的打击。最近在我国也有人提倡妇女为妻为母的天职，而排斥妇女职业，这也是整个资本主义经济总崩溃期中，一般支配者们压迫妇女的同一企图！不过，我们要晓得，这是他们的最后的企图，是一时的打击。历史是必然要打开职业妇女的前途，必然要解决妇女职业问题的。

第五节　劳动问题

妇女劳动问题，简单说来，就是关于劳动妇女的地位及境遇诸问题。其主要内容，在于改善工作时间，工资，劳动设备，及其他一般的劳动条件等等。这问题是一般劳动问题中特别和妇女有关系的问题。同时劳动妇女既为妇女，自然和妇女问题有关系，所以一方面为广泛的劳动问题的一分野，另一方面包含在妇女问题里面的，换言之，劳动妇女运动，在解放全体劳动大众的见地看来，是一般劳动运动的一分派，又在解放妇女大众的见地来说，是成为整个妇女运动的中心势力。

妇女劳动问题也和一般的劳动问题一样，起源于十八——十九世纪产业革命。产业革命的结果，一方面资本主义的机械工业加速发展，需要大量的雇佣劳动，他方面从自足自给的封建的家族经济破产，家庭生活的资源，不得不求之于家庭以外，于是千千万万的妇女也同男子一样，被迫而成为资本家的雇佣劳动者。特别到第一次世界大战中及大战以后，妇女劳动遂行空前的发展，从来限制妇女劳动的重工业部门也有多数劳动妇女的参加。到现在，劳动妇女的数目几乎凌驾于男工数目，而且在劳动的熟练及技术上，也几乎同男工并驾齐驱。但在社会的地位及劳动条件上，仍然有男女的差别。即使在同一的劳动，对于男工的待遇及报酬等，总比女工优厚些。

妇女劳动问题的严重的社会的意义，我们可从她们的劳动条件中观察出来。这里想把它的几个主要问题，分别说明。

第一是劳动时间问题。男女在同一工场做工的时候，其劳动时间自然是同样的。但在专用女工劳动的一些轻工业部门，妇女的工作时间总比同一部门的男工长些。现在高唱八小时工作制，但除了几个先进国家，有少数地方实行外，大部分还是采用十小时乃至十二小时的工作制。尤其在中国，像纱厂一类的雇佣多数妇女劳动的工业部门，甚至有十四小时的工作，此外还有妇女的夜工制。这结果，多数劳动妇女很容易有疾病，更将影响于全体国民的健康。本来妇女因身体关系，不能同男子一样作长时间的激烈劳动，假使男子要求八小时工作制的时候，妇女应要求六小时或四小时的工作制，但在这唯利是图而不顾国民健康的资本家的榨取制度之下，这种要求，当然不是容易实现的。至于妇女及儿童的夜工问题，数年前在国际劳动会议中决议禁止，但我国尚未批准，多数妇女仍然受夜工的酷使。

第二是工资问题。无论某一国，妇女的工资总比男工少些。虽则在同一熟练，同一劳动的场合，女工的工资不及男工的三分之二乃至三分之一。有的场合，不把它当作她们的生活费了，而把它当作零用钱给，因此大多数女工所得工钱，都不够维持自己的生活。关于女工的工资低劣的原因,《妇女问题讲话》的著者奥姆苏指出以下七点，即：一，认妇女比男子低劣的因袭观念；二，妇女的能率比较低下；三，女工的教育程度较低；四，妇女惯于无报酬的家庭劳动；五，女工大都是家族生活费的补助者；六，在女工背后尚有多数女工后备军；七，女工的工会组织不甚发达。

第三是母性保护问题。如上所说，劳动妇女在长时间不卫生的状态之下工作，而且其所得报酬极微，衣食住各方面的生活都非常恶劣，因此她们都罹于灾害疾病，损坏女性的机能，将不能完成健全国民的母性的任务。特别要注意的是女工的大部分为未婚妇女，她们在结婚生育以前，受着那种无限制的压榨与酷使，完全损坏了母性应有的健康。这决不仅是女工自身的问题，而是严重的社会问题。

于是，为着解决这些问题，就产生了劳动妇女的解放运动，这运动在欧美已于十九世纪中叶开始，到现在已经和整个社会运动及妇女解放运动合起来，而形成反对有产者的社会制度的主要的革命阵线。

劳动妇女运动在最初是和男工对立的。因为初期的工人们，阶级意识非常薄弱，对女工看作竞争的敌对者而加以排斥，不许女工加入工会。但是经过一八七一年巴黎公社时代以后，工人们也渐次获得自己阶级的人生观和社会观，同时认识到女工的要求不单不和他们的利益冲突，反而更和他们的要求一致，从此以后女工们也得参加工会，更进而组织女工自己的工会。特别在进步的政治团体的领导之下，向社会提出她们的要求，更为着贯彻其要求，而进行大众的斗争。在现在，她们的特殊要求是：（一）同一工作，同一工钱；（二）禁止有害母性的劳动；（三）产前产后给假各二月，工钱照给；（四）设立免费托儿所；（五）确立六小时工作制等等。这种要求是女工的特殊要求，因此所谓妇女劳动问题，一方面有一般的劳动问题的性质，他方面有妇女解放问题的性质。同时这问题只有在整个社会革命中，才能得到根本的解决。

第六节　法律问题

妇女在公法及私法上要获得与男子平等权利的问

题，例如妇女问题的中心问题，例如妇女要求立法权及参政权，财产管理及遗产承继权，结婚权及离婚权，私生儿的认父权，关于通奸适用同等法律等等，都是历来妇女运动的主要纲领。

我们若要正确的理解这问题，则先有明了法律的本质的必要。

许多人以为法律是维护社会的公理与正义的东西，但这种是皮相的观察。实际上法律是替少数人压制多数人的一种工具。关于此点，倍倍尔是很正确的指明出来。

> 种族间阶级间两性间的从属的地位，一定在国家的法律及政治上表现出来。一国的法律是支配阶级的有利的组织的表现。因为妇女是被压迫的服从的"性"，所以她们在法律上的地位也是如此。(《妇人与社会》)

我们在历史上看，希腊罗马时代的法律是贵族及自由民压迫奴隶的工具，封建时代的法律，是少数领主及僧侣压迫多数农奴的枷锁，到了资本主义社会，法律虽则吸收一些所谓民主主义的精神，但仍然成为少数有产者支配多数无产者的铁鞭。

法律在男女的社会的权利问题上也是同样，很显然的暴露它的不合理的原形。在从来的男性中心社会，法律完全站在男子的立场讲“道理”而使妇女去服从它！换言之，法律便成了男子用以抑制妇女的符咒。特别在封建社会，妇女简直是一件物件，法律不单不保护妇女的权利，反而更使男子压迫妇女的权利神圣化，绝对化了！所谓“三从四德”、“七出”等封建礼教，虽不就是刑典律令，但这便是一方面用以剥夺女权，他方面使男权神圣化的绝对的道德律。

可是法律并不是固定不变的东西，它是跟着社会的进化而进化的。详言之，社会的经济基础发生变化，则政治的，法制的上部构造也随之变化。到了资本主义社会，从自由主义及德谟克拉西思想反映出来的法律，自然和封建的绝对专制主义的法律不同。对于妇女要承认“人”的权利，这是妇女要求法律上与男子平等权利的基本动机。

男权社会承认妇女的“人”的权利，决不是偶然的，而是有实际的社会的根据。其最主要的，就是妇女自从工场手工业时代以来，能够同男子一样参加社会的生产劳动，遂行国民经济上主要的任务。法国大革命时代所勃兴的女权拥护运动，也就是从这种社会的根据出发的！

女权运动的法律斗争，在十九世纪中叶至末叶，欧美各国都有热烈的实行。特别在英美两国妇女要获得立法权及参政权的斗争，便成了严重的娘儿们的暴动。这个结果，男权社会终于承认了男女在法律上平等的原则。但这仅是原则的承认而已！实际上能够享受法律上所认定的法权的妇女，只限于极少数的上层妇女，至于大多数劳苦妇女，仍然享受不了何等法律的恩典！她们仍旧在所谓“自由”劳动契约之下，不能不替资本家创造利润。什么遗产承继权，参政权等等，都和她们无关。

欧洲大战以后，在世界上进入于文明阶段的诸国，几乎完全承认妇女在法律上的权利。就是最落后的我们中国，也在国民党党纲中规定妇女的种种权利。于是许多女权主义者，都以为在资本主义社会制度底下，也有妇女在法律上获得平等权利的可能，并且以为这是她们的胜利的表现！但在我们看来，这正是她们的幻想的表现。假使说，法律是经济的支配权利的反映物，那么，在社会的经济权力集中在少数男子手里的社会，法律也只能成为少数男子的专有物，或者是他们所任意利用的工具！女权主义者们所获得的胜利，决不是大多数妇女的胜利，而只是少数上流妇女的胜利而已！

到了资本主义世界渐次进入法西斯蒂阶段的现在，妇女在法律上平等的问题更受了严重的打击。德国希特勒执政以前，有四十九名的女议员，但到他上台后，把她们全体都赶回家庭里去，现在是青一色的男性议会了。意大利也是同样，不准妇女在政治及法律机关参加活动，这种倾向在目前资本主义各国正在方兴未艾，不单妇女的立法权及参政权发生根本动摇，即就是妇女的职业权及劳动权，也将有被剥夺的危险！一世纪以来斗争过来的女权主义者们，将不禁“前功尽弃”之感！

最后我们可以引出一个结论：所谓法律是社会的经济基础的反映，在社会的经济权力集中在少数男子的资本主义社会，所谓男女平等的法律，是不会存在的！只有在人和人间，男子和妇女间没有经济的隶属关系的社会，法律才成为人和人间的平等合理的契约，才能彻底的实现男女在法律上平等的原则！

第十讲　妇女解放思想的主潮

第一节　民主主义的妇女解放思想

我们知道，所谓民主主义或自由主义，是近代的市民阶级要打破封建专制主义的最有效的工具。就是说，当市民阶级在封建社会的废墟上打定基础的时候，举起了民主主义的旗子，号召封建制度下的被压迫大众，于是被压迫妇女大众也很勇敢的集中到民主主义的反封建的阵营里来！这样她们便自觉地开始要求妇女在社会上和男子平等的权利，又这样形成了民主主义的妇女解放思想。

这种民主主义的解放思想遂产生了所谓飞米尼斯主义（Feminism）。飞米尼斯主义可译作女权主义或男女同权主义。关于它的意义，许多人有不同的解说，但概括言之，就是在资本主义社会制度底下，要获得和男子平等的权利。即是说，女权主义者是不反对财产私有制及阶级支配的存在，而只反对男子对女子的支配权，不要改变现社会制度，而只要求和男子同权，又只认定男女两性的对立，而否认社会阶级的对立。这种思想，本质上就是资产阶级民主主义自由主义思想的产物，是代表当时真在解放过程中的资产阶级妇女的思想。

女权主义的思想，可以说是发源于卢梭的“民约说”，但是十八世纪法国大革命时代到娜奥珠和罗兰夫人所发表的《妇女权利宣言》，就是这思想的最初的具体的表演。又在同时候，即一七九二年，英国的华尔斯登格拉夫脱女士发表《女权拥护论》一书，更具体的要求妇女在社会上和男子同等的权利，女权主义的雏形遂被完成，而且广泛的传播到欧美各国。因此，世称华尔斯登格拉夫脱为女权主义的鼻祖。

其后到十九世纪中叶，随着资产阶级民主政权的确立与发达，女权主义思想遂布满于欧美各国。此种思想的代表的人物，可算是英国的约翰·穆勒，美国的须林娜及纪尔曼，瑞典的爱伦·凯。他们关于妇女的见解本不一致。举例说，穆勒是热心的妇女参政权运动者，他在其名著《妇女的服从》一书中特别重视妇女在法律上的地位，即他是主要的从法律的见地去论究妇女解放问题。须林娜夫人著述《妇女与劳动》一书，主要的从劳动的观点去说明妇女的解放。纪尔曼夫人是著《妇女与经济》一书，主要的从经济的见地去究明妇女问题。最后爱伦·凯著述《儿童世纪》,《恋爱与结婚》,《妇女运动》,《母性的复兴》等诸书，提倡母性万能主义及恋爱至上主义，而要从两性的见地去解决妇女问题。在此因篇幅关系，不能详述他们的具体意见，但总之他们同为女权主义者，其思想并不曾统一，换言之，所谓女权主义思想，本来没有何等独立的统一的体系。

不过，在这里有一点特别要注意，就是爱伦·凯的性爱观和母性观。她是主张保护母性，主张充分发挥母性的性的能力。她说:“现在一切的努力，是在作制造更优良的人种的准备。”为了创造更优良的人种须等待母性的完成，妇女有要求完成这母性的权利，社会也当然要负有这义务的。她是主张妇女为妻为母的天职，而反对妇女就家庭外的劳动，或奔走于政治运动。她说:

> 如果女性除了从事家庭外的劳动以外，不能脱去从来的寄生的生活状态，那么我们宁愿从来那种寄生的生活。因为这两个社会恶之中，后者为害较前者少。

爱伦·凯的这种思想是和一般女权主义者的主张背道而驰。详言之，上述英美的女权主义者是反对寄生的为妻为母的生活，而主张妇女深入社会中去作男子一样的活动。但爱伦·凯是重视家庭，结婚生活，反对妇女在职业上及政治上的活动。这种主张在目前真是适合于一切复古主义者的胃口。

实际上爱伦·凯的思想是英美的女权运动的反动的表现。当资本主义的经济组织破坏从来的家族的生活，而多数妇女不得不去参加家庭外的社会劳动的时候，英美的妇女是积极的向社会各方面去要求其生存权，这样成了英美妇女的热烈的参政运动及职业运动。可是从爱伦·凯看来，这种现象是破坏家庭，忽视女性的为妻为母的天赋的使命，更使两性关系变成金钱的交易关系而没有所谓纯真的恋爱结婚生活。因此爱伦·凯是特别强调纯真的恋爱和母性的保护。

总而言之，女权主义思想是资产阶级民主思想的一分野。它虽然没有一定的统一的系统，但对于反对撤废财产私有制，及阶级斗争这点倒是一致的。这种思想，在现在已经完全失去了它的社会的实际的意义。

第二节　社会主义的妇女解放思想

现代的民主主义和社会主义是资本主义社会的内在矛盾所反映出来的两种对立的思想。换言之，前者是资产阶级的意识形态，后者是无产阶级的意识形态。这两者关于妇女解放问题的见解也自然是对立的，不一致的，关于民主主义的妇女解放思想，在前节中大体讲过了，在这儿要略述社会主义的妇女解放论。

社会主义或科学的社会主义是近代无产阶级的意识形态。它是以彻底实现人类的自由和平等为目的，为理想的。所以，要解放占人类半数的被压迫妇女，不待说是社会主义的主要任务之一。妇女得不到解放的社会，自然不是自由平等的社会主义社会。反之，真正的社会主义社会必须彻底的实现男女平等的原则。因此从来许多社会主义者，大都是彻底的妇女解放论者。

社会主义的妇女解放思想，由来很久。我们在所谓空想的社会主义的各种著作中，都可以看到这种思想初期的形态。一五一六年英国人汤姆斯·摩尔所著《乌托邦》一书，可以说是空想的社会主义的典据，在所谓“乌托邦”中，男女的社会地位是完全平等的。就是说在那里，男女同样的从事生产劳动，土地和房屋亦为共有，每日劳动时间为六小时，其余的时间都用在读书，谈话，音乐，游戏等运动。又设有共同食堂，在一定的时间共同聚餐。至于结婚及恋爱，完全由男女当事者自由举行，所生子女亦归共同育儿所养育。

在摩尔的《乌托邦》以前，也有描写理想社会的种种著作，例如希腊哲人柏拉图的《共和国》及罗马的雄辩家基开罗（Gicero）所著《理想国》等都是这方面的名著。但在这些著作中表现出来的妇女的社会地位，仍是隶属于男子，总不如摩尔理想中的妇女那样自由和平等。尤其在柏拉图的《共和国》中，妇女同财产一样归为共有，而由男子任意处置。这里值得注意的是结婚和育儿的问题。对于结婚，特设公定年限，女子以二十岁至四十岁为结婚期，男子以二十五岁至五十五岁为结婚期，而由治者阶级指导配合适当的男女，其所生子女则由政府特设公共育儿所养育之。但婴儿的母亲须在一定的时间到育儿所来，不区别自己的生儿，一律平等的授乳。这里我们丝毫看不到解放妇女的思想，可是所谓公共育儿制度却是柏拉图的创见。

在摩尔以后，描写这种理想乡的著作更多。例如白拉美（Belamy）的《回顾录》，毛里斯的《无何有乡记》，卡配的《伊加里航海记》，傅立叶的《产业及社会的新社会》等有大小数十种之多，在这些著作中，关于妇女的社会地位的见解，大体上是和摩尔的见解一样，充分的认定男女平等的原则。例如傅立叶的《产业及社会的新社会》中，有所谓“法兰斯区”，这便是新社会组织的单位。在这“法兰斯区”中，妇女的社会地位，完全是和男子同样，男女以平等的资格从事生产。这里也有共同食堂和公共育儿所，结婚及恋爱亦极自由，没有何等社会的拘束。这里无所谓军队警察，亦无所谓犯罪者或法律家。这样描写出真正的平等，自由的社会。

傅立叶不仅仅是描写理想社会的著作家，他和圣西门，欧文三人是有名的空想的社会主义的实行家，这三个人都在欧洲产业革命正在发展，资本主义的生产蒸蒸日上的时代出现。他们的思想，很显然是代表当时日见增大的工人阶级的意识形态。当时的工人阶级还没有正确的确立自己的人生观和社会观，对于改造社会的认识极不正确，即不能认识到以自己的阶级力量来建设现实的理想社会，于是遂有了所谓空想的社会主义的思想与行动。

这三个人都是热心于妇女解放的思想家及行动家。他们都以为妇女的一切社会地位，应当和男子平等，因此他们极力主张妇女的结婚及恋爱的自由，主张妇女参政权，教育权，职业权等，并且在他们所经营的所谓共产村中，规定妇女的种种社会权利，尤其欧文所创设的工厂托儿所及工厂学校，是相当减少了女工的育儿的负担。可是他们对于妇女解放问题，还没有正确的理解。就是说，他们不能了解妇女被压迫的基本原因乃在于财产私有制度及阶级支配的存在。因此他们理想中的被解放的妇女，至多不过是职业的性的自由的爱人，而不是从阶级的支配关系解放出来的完全的人格。

到了十九世纪中叶，欧美的资本主义已经到了烂熟的时期。新兴的工人阶级随着自己阶级力量的增大，获得了以自己的力量来改造社会的自觉，即正确的确立了自己阶级的人生观和社会观。所谓科学的社会主义，乃是这个时代出现的工人阶级的意识形态。

科学的社会主义是不单指明了工人阶级能够以自己的力量建立新社会的必然的途径，并且正确的树立了妇女解放问题的理论基础。这里我们须先指出摩尔根的《古代社会》和昂格斯的《家族私有财产及国家之起源》二大名著。这两本书是论究了妇女社会地位的变迁，给妇女解放问题以有力的论据。

可是到十九世纪末叶才出现了完全由社会主义的立场，有系统的论述妇女问题的著作。这就是倍倍尔的名著《妇女与社会》一书。这部书是以科学的社会主义的见地，论究过去妇女的社会地位及其生活状况，批评或叙述当时烂熟的资本主义社会妇女的生活现状及妇女运动，最后指明了未来社会的妇女的社会地位。这本书在世界各国差不多都有译本，对于全世界妇女及劳动者的觉醒上有了很大的贡献，特别对于妇女解放运动给予了特别重大的指导的影响。所谓科学的社会主义的妇女解放理论，于是才得有系统的完成起来。而且从此以后，关于这方面的著作，犹如雨后春笋，不断的充实了妇女解放问题的理论。同时在各国开始活泼的进行社会主义的妇女解放运动。

科学的社会主义者关于妇女解放问题的了解是和一般的民主主义者乃至空想的社会主义者的理解完全不同。他是从历史的财产私有制度及阶级的支配关系中指明白妇女所以被压迫的根本的原因。换言之，在财产私有制及阶级支配存在的限度内，妇女决无获得解放的可能。因此把妇女解放问题看作整个社会问题的一环，同时把妇女解放运动看作整个社会革命运动的一分野。一般民主主义者以及空想的社会主义者是只看到压迫妇女的对象是男子，而没有认识到不合理的社会制度，乃是真正的压迫妇女的枷锁。

在许多社会主义的妇女解放思想家中，最值得我们推崇的，首先就是倍倍尔，但此外还有美国的《眺望前方》的著者拉巴德，格拉拉·蔡特金，格鲁布斯伽耶，柯仑泰等诸人。这些人的关于妇女问题的言论及著作，都是给与世界妇女解放运动以很大的指导的影响。尤其蔡特金，格鲁布斯伽耶，柯仑泰等是直接参加欧洲的社会革命运动，而且同伊里奇一块创造出苏联十月革命的伟大的女革命党员。

十月革命的创造者伊里奇虽然不是什么妇女解放思想家，可是在他的言论及著作中往往看到彻底的妇女解放运动的理论。并且他才是把有史以来许多思想家及革命者都不能解决的妇女问题，一举而解决了的。他在《苏联劳动的研究》一书中有如下的一段话。

> 实际在最近十年间，就是世界中唯一的民主党，就是绅士阀共和国唯一的指导者对于妇女解放所完成的工作，及不到苏联一年来所实现的百分之一。在苏联，妨害妇女权利的屈辱的法律，早已完全废止了。……这些法律流行于所有的文明各国，暴露绅士阀和资本主义的耻辱。我们在苏联所成就的进步是有自跨的权利……

纯粹的妇女解放，纯粹的社会主义必须是在劳动阶级自握指导权，而和家庭的奴隶制度开始战斗时，更适切些说是在社会完全地组织于一般的，而且是社会主义家庭组织的基础上的时候始能实现。

如上所述，从来许多资产阶级民主主义者及女权运动者们所要解决而不能解决的妇女解放问题，终于在十月革命中被解决了。这不单解放了苏联的妇女，同时证实了科学的社会主义的妇女解放理论的正确性，更指明了全世界妇女解放运动的前途。

第十一讲　妇女运动的史的发展

第一节　妇女运动的本质的意义

所谓妇女运动是什么？一般说来，它是包含妇女的参政运动，职业运动，教育运动，劳动运动，性的自主运动等等，换言之，要解决一切妇女问题的运动，乃是妇女运动。不过，我们单单这样的了解是不够的。倘若要正确的理解妇女运动是什么，那么必须更进一步去究明它的社会的及阶级的意义。

首先，所谓妇女运动是单单在资本主义社会里才会生长，发展的东西。在古代社会及封建社会，虽然存在着妇女被压迫的事实，但是能够使妇女获得解放的经济的及文化的条件并不存在，所以不能发生妇女运动。至于将来的社会主义社会，所谓妇女问题已被解决，亦不会有妇女被压迫的事实，所以妇女运动自然也不会存在。然而在资本主义社会，它的经济的生产方法及其自由主义或民主主义的文化关系，是使广大的妇女大众从封建的家庭奴隶生活，诱导出来，参加到广泛的社会的生产活动，同时妇女在这种社会的生活过程中，吸取了自由主义或民主主义的文化，更进而觉悟到妇女自身的社会的权利。在这样的社会的条件之下就发生了种种形态的妇女运动。要而言之，凡所谓妇女运动，都只是资本主义社会的存在物。它是随着资本主义的发生而发生，随它的发展而发展，更随它的消灭而消灭。

其次，所谓妇女运动也和其他一切社会运动同样，必然有它的社会的背景。我们知道，资本主义社会是占有生产手段的有产者和出卖劳动力的无产者这两个基本阶级形成的。这两者有着相反的利害关系，且有相反的人生观和社会观，而在资本主义社会中相对立，因此妇女运动也必然受到这两个基本阶级的指导的影响。详言之，在这社会里，一方面存在着有产者的妇女运动，他方面存在着无产者的妇女运动。前者是民主主义的女权运动，后者是社会主义的妇女解放运动。这两者在反对封建制度的观点上是统一的，但在阶级的见地上是对立的。

关于妇女运动的社会性及阶级性问题，从来流行着极不正确的概念。有些人以为，在资本主义社会只能有民主主义的女权运动，而无所谓社会主义的妇女运动。因为社会主义运动是阶级的解放运动，而不是性的解放运动。即使有所谓女工运动，这亦应属于阶级运动的范畴，而不能作为妇女运动。这些人是只看到民主主义的妇女运动，而不能理解社会主义的妇女运动，而把妇女解放运动和阶级的解放运动分离开来。这显然是取消妇女运动的错误见解。又有些人是主张，妇女运动是超阶级的人类的解放运动。因为占人类半数的妇女都要从同数的男子压迫下解放出来，所以这种运动的意义是非常广泛的，决不能以狭隘的阶级的见地可以把它说明的。这些人是把妇女运动看作单纯的，抽象的性的解放运动，而抹杀了它的社会性质。这也是错误的。

在表面上看来，妇女运动最初是由少数资产阶级知识妇女的女权运动开始的，例如法国大革命时代的靠杰，铁罗纽，罗兰夫人等都是上层社会的知识妇女，又在美国独立战争时代的妇女运动者如华伦，亚当斯等都是上流妇女，尤其亚当斯是美国第二代总统的妻子。但是我们要晓得，这些少数知识妇女，大胆的向男权社会宣言妇女权利的时候，在她们的背后已经有着数千万万的劳苦妇女大众的积极的支持。假使没有了这样广大的大众的基础，她们的女权运动是决不会发展开来的。事实上在法国大革命时，巴黎郊外的数千数万的女工都参加革命的暴动。又在美国独立战争时代，全体农妇都参加战斗的工作。这很显然是当时发生女权运动的主要条件。

可是资产阶级在欧美各国中确立他们的政权以后，妇女运动内部便发生了阶级的分化，就是说，资产阶级的妇女在所谓民主主义的幌子底下，完全站到支配阶级的立场，拒绝多数劳动妇女的彻底革命的要求，反对撤废私有财产制度。她们是在资本主义的社会机构内要获得妇女的参政权，教育权，职业权等，这种合法的改良主义的运动，便成了女权运动的主要内容。

可是在另一方面，大多数劳苦妇女是不能不反对这种改良主义的运动。因为这种运动是决不能满足她们的要求，她们要求彻底解放，要根本推翻私有财产制度，只有这样才能解脱她们的奴隶地位。在这种要求之下，就发生了无产阶级的妇女解放运动。这种运动，虽然在统治阶级的压迫底下不能得到顺利的发展，在历史的记载上看来，较之女权运动，约后半世纪，即到十九世纪中叶才具体的出现。可是实际上在法国大革命时代，罗莎·拉哥姆布所领导的“妇女革命俱乐部”，是由巴黎郊外劳动妇女组织成立的团体。这可以说是无产阶级的妇女运动的最初的形态。

总上所述，所谓妇女运动是单单资本主义社会的存在物。它在这社会里不能不带上阶级的性质。因此当我们要究明妇女运动的根本意义的时候，把它看作单纯的性的解放运动，而抹杀它的阶级的意义是不正确的。同时要晓得，妇女运动决不是单纯的争取参政权，教育权，职业权等等的改良主义的运动，并且是要根本否定私有财产制度的革命运动。

第二节　资产阶级的妇女运动

妇女参加反封建运动，可以说是从十六世纪宗教改革运动时代开始的，在当时多数妇女，尤其是尼姑们，都积极参加革命的新教运动，而反对封建的旧教。但这只有妇女的参加而已，具体的妇女解放运动还不曾表现出来。妇女开始觉悟自身的奴隶地位，大胆的向社会要求与男子平等的权利，当以法国大革命时代的《妇女权利宣言》为开端。这也就是资产阶级妇女运动的第一声。

所谓资产阶级的妇女运动乃是民主主义的女权运动。这运动是循着以下三个主要阶段而发展下来。

第一阶段是自十八世纪法国革命时至十九世纪中叶欧洲的产业革命完成时止。在这时期中资产阶级在欧美各国中完成了民主共和或君主立宪的政治制度，在经济方面完成了近代的产业组织。同时民主主义及自由主义的各种社会运动也风起云涌起来。在这种社会的大变革的氛围中，资产阶级的女权运动便很顺利的生长着。

法国大革命是不单从“神权社会”中救出了“人权”，同时从“男权社会”中发见了“女权”。一七九三年国民议会发表《人权宣言》的时候，靠杰和拉哥姆布向巴黎市会中发表《妇女权利宣言》，同时提出十七条妇女权利的要求。当时许多资产阶级的知识妇女都自觉的参加这一运动，用种种手段向革命政府要求承认男女的平等权利。可是这运动不单不能为当时已和封建势力妥协的资产阶级所容纳，反而更受残酷的摧残。妇女领袖靠杰，罗兰夫人等遂成了断头台上的英魂。

在法国革命以前，即一七七四年美国独立战争时代，美国的妇女们也起来要求妇女的权利了。当时亚当斯及华伦等发起了妇女的参政运动，结果在纽甲西州最初承认了妇女参政权。这是历史上妇女获得参政权的开端。

又在同一时期，英国的华尔斯登格拉夫脱女士发表有名的《女权拥护论》一书。这是女权运动的最初的理论的文献，她对于欧美妇女运动给了极大的影响。因此有人说，格拉夫脱女士是世界妇女运动的鼻祖。

在这个时期中，实际的大众的妇女运动，只实行于美、法两国，而在其他诸国还没有发生实际的运动。这个原因大概是这样：就是在法国大革命中，多数劳苦妇女都直接参加革命的暴动，而革命政权成立后她们当然有要求参加政权的权利，在美国也是同样，在独立战争中差不多全体妇女都参加艰苦的战役，而独立政府成立后，自然有权要求参加政权了，至于其他诸国，只在这两国妇女运动的影响之下，进行着理论的，思想的鼓吹。

资产阶级的女权运动，是在它发生之初就以参政运动为中心而开始的。这就是女权运动的特征。不用说，她们也有教育运动，职业运动，性的自主运动等等，但其最主要的目标，似乎就是要获得法律上的平等。因此有些论者以为，妇女运动的三分之二以上的成分是参政运动。这话是相当类似的说明了女权运动的内容。

第二阶段是自十九世纪中叶至二十世纪初叶，资本主义极顺利的发展到世界的范围，而进入于帝国主义的阶段。在这时期中资产阶级在欧美诸国已经完成了灿烂的资本主义的文化，而资产阶级的妇女在这种文化环境中获得了同男子一样的知识与技能。在这里女权运动便很顺利的发展起来了。

在这个时期中，素称妇女运动的祖国的法国的女权运动，却是现着萎靡的状态。虽然在一八四八年二月革命时代，受着许多思想家如傅立叶，圣西门，路易布朗等的鼓动与援助，似有重振旗鼓之势，但不久受拿破仑第三的压迫而终于不能振作起来。可是经过了一八七一年巴黎公社的大流血革命以后，妇女团体便雨后春笋般地产生，一八七六年创立的“妇女境遇改良会”及“女权主张协会”都是比较显著的。此后继续产生了“妇女解放团”，“女权联盟”，“女权社”，“万国妇人协议会”，“法国妇女参政权协会”等等，在这些团体中社会主义政党指导下的妇女也参加活动。可是她们的运动还不能得到效果。法国的妇女仍然得不到参政权。

英国的女权运动，较法国迟，但其运动的活泼与激烈为任何国家的妇女运动所不及。英国的女权运动在十九世纪初期，尚处于思想运动的阶段，可是到了一八四五年斯密司女士向国会请愿，要求改正婚姻法以后，妇女直接向政府争权利的运动，便很迅速的发展开来。尤其一八六七年选举法改正案审议的时候，约翰·穆勒提出认定妇女参政权的修正案，成为议会中的主要的论题。这议案虽被否决，但它给与女权运动以极强烈的刺激。这样，女权运动便由长久的准备时期踏进了具体的实际的运动时期。此后陆续产生种种妇女团体，但其中最大而且最主导者有二：一个是“全国妇女参政权联合会”，一个是“妇女社会及政治联盟”。前者是一般资产阶级妇女的团体，后者是劳动党系的妇女，反对前者的妥协的温和的态度，主张以激烈的手段获得政治及社会的权利的团体。后者为着达到目的，不择手段，不论什么暴动都肯去做，例如敲破议会的窗户，妨害演说，向大臣质问，示威行动，抗租运动等等她们都做过的，因此被捕投狱者竟达三百余人，她们在狱中亦不屈服，高呼着“给我们政治的自由，否则给我们死亡！”甚至实行同盟绝食，促当局者的反省。可是这样激烈的运动也不能立刻奏效，到了大战后一九一八年才得到了她们的目的——参政权。

美国的妇女运动也在这个时期中得到长足的发展。在美国，妇女参政运动是和奴隶解放运动同时生长的。因为奴隶解放运动的精神是和妇女解放运动精神相合一致，因此这两者相辅而进行。事实上美国妇女对于奴隶解放运动，贡献甚大。一八三〇年在伦敦成立的“万国奴隶废止大会”中，美国代表乃是妇女。

自从一八四八年斯坦顿女士组织“妇女权利会”以后在各地产生了种种妇女团体，而且在各州举行州妇女大会，从此女权运动便很活泼的进行下去。在各种妇女团体中最主要的有“美国妇女参政权协会”，“国民妇女参政权协会”，“全国劳动妇女联合会”等，她们的主要目的在于贯彻民主主义的精神，要实现宪法上“主权在民”之规定。妇女也是人民之一分子，当然有参政的权利了。可是她们经过了种种艰苦的斗争，到大战后一九一九年才达到了她们的最后目的——参政权。

在这一时期中除了上述三国外，俄、德、意等国的妇女运动也很猛烈的进行着。但在这儿没有把它评述的可能，而且没有这个必要。因为这些国家的妇女运动的内容及形式也和上述三国大同小异。而且这里所要说明的，只是妇女运动的一般的倾向。

综上所述，资产阶级的妇女运动，主要的目的在于获得参政权，她们是在现制度底下向男子要求承认妇女的权利，结果在这一阶段中，世界主要诸国都承认了她们的参政权。她们的目的，大部分达到了。但这仅仅是少数资产阶级妇女的权利，大多数无产妇女仍然享受不到何等的权利。

第三阶段是大战后到现在，是资本主义达到了最后的没落阶段，即帝国主义阶段。而以战争及独裁的手段来挽回其命运的时期。在这个时期中一方面在苏联确立了无产阶级的政权，而且建设了社会主义的社会，另一方面在资本主义各国猛烈的爆发着经济恐慌，失业，阶级斗争，战争，暴乱等大动乱。资产阶级为着挽救其濒死的命运，完全揭开了所谓自由主义或民主主义的假面具，对内实行法西斯蒂的独裁政治，对外实行帝国主义的侵略战争。在这种情势中资产阶级女权运动的任务也自然要转变其方向，来适合于自己阶级的利益。

如上所述，女权运动在大战前各国认定妇女参政权以后，可算达到了目的，因此这运动也不能不告了一个段落。可是在这一时期中资产阶级妇女由于她的阶级利害关系，不得不开始进行挽回其阶级命运的新的运动。这运动是从积极和消极两方面进行的。在积极方面组织种种带着侵略的或抑压的性质的妇女团体，鼓吹妇女的爱国心，使她们准备去服务侵略战争。例如日本的“国防妇人会”，意大利的“妇女服务团”，德国的官办妇女团体等等。这种妇女团体在各帝国主义国家中都有组织。她们已经完全暴露了从来民主主义的女权运动的假面具，露骨的站在统治阶级的阵营里服务。这就是所谓法西主义的妇女运动。在消极方面组织种种改良主义的宗教的妇女团体，向妇女大众宣传人道主义，贤母良妻主义及家庭乐园主义等等，要使妇女大众离开一切政治的，社会的活动，更要消灭她们的阶级意识及革命情绪。这种运动在目前各国都很普遍的风起云涌。

谈到法西主义的妇女运动，我想在这里特别把它提出来，加以简单的检讨是很必要的。为什么呢？因为这种运动对于现阶段的妇女解放运动，执行着最大的反动的任务。

所谓法西主义的妇女运动，本来不是以解放妇女为目标的运动，而是在所谓“民族复兴”的大前提之下，牺牲妇女本身的利害，而且取消妇女解放运动的极端反动的运动。这种运动，在德国希特勒秉政以后，最有组织地，有意识地发展着。此外日本，意大利及其他法西政权较强的国家，都正在发展着同样的运动。这里我们须先考察这种运动所以发生的社会的根源。

我们在上面已经说过，资本主义到了最后的没落阶段，资产阶级为着挽救其濒死的命运，对内实行法西斯蒂的独裁，对外实行帝国主义的侵略战争。这个情势是必然产生法西主义的妇女运动的。

法西主义是为着防止国内的阶级斗争，为着进行对外的侵略战争，而假装着民族的或国民的社会主义而出现。德国的国社党固如是，意大利的法西党及日本的各种法西斯蒂团体亦复如是。他们在所谓“复兴民族”的大目标之下，不仅要消灭阶级的解放运动，同时要消灭性的解放运动。在他们看来，所谓民族或国民的利益是超过任何社会集团的利益的。然而这所谓“民族”或“国民”，其实是少数资产阶级的独裁者用以欺骗民众，抑压民众的招牌。他们为了保持既存的社会秩序，不能不拿所谓民族利益来抑压工人阶级的反抗，缓和失业者动乱的危机，更为了获得广大的商品市场，又不能不以所谓民族利益来准备侵略战争！在这两种主要的前提之下，产生了法西斯蒂的妇女政策，这种政策也有两种目的，是适应于以上两种前提的。第一是要求妇女从社会的生产机关总退却，回到家里做贤妻良母，这样一方面把妇女的职业位置转给失业男子，既可以免除失业恐慌，也可以缓和阶级斗争，他方面妇女在家庭里当生育机器，特别奖励她们的结婚及生育，多多的准备将来侵略战争中的炮灰！第二是要动员全国妇女，在法西斯蒂的军事统制之下，组织侵略战争的后备军！譬方说，在德国组织妇女挺进队，妇女航空队，救护队，后方警卫队等，又在日本组织国防妇人会，组织陆军新娘学校等等。

这个样子，在法西斯蒂握着政权，或者它的政治势力较强的国家，妇女解放运动完全为法西政党的妇女政策所破坏，所消灭！数世纪以来在妇女解放运动者们的艰苦的斗争和伟大的牺牲上面建立起来的妇女的社会地位及其一切权利，在法西斯蒂的独裁的铁鞭之下，粉碎得干干净净了！我们看吧，在德国希特勒秉政以前，有四十九名的女国会议员，而现在连她们一个影子都没有了；在希特勒及其党徒的目光中，妇女只不过是生育子女，服侍丈夫的奴隶。因此，希特勒说："妇女的天职是生育子女。"戈倍尔说："男子是支配生活的，女子是支配锅釜的。"

最后，把上述总括起来说，资产阶级的妇女运动，在它发生的初期是带有反封建的革命的性质，但到了它的发展期，已经离开了大多数劳苦妇女大众，只为着少数妇女的利益而斗争，最后到了资本主义没落期，它完全执行反动的任务，所有它们的妇女组织都成了支配阶级的反动的政治工具。因比，执行法西斯蒂反动任务的妇女运动跟无产阶级的妇女运动的两极分化，也非常显著起来。

第三节　无产阶级的妇女运动

许多妇女运动的理论家们，很少论述关于无产阶级的妇女运动的生长及发展的问题。即使一些自名社会主义者的理论家，也往往忽略了这个问题，而把历史上一切妇女运动当作资产阶级的女权运动来处理，这是一个缺憾。

我们要晓得，无产阶级是和资产阶级同时发生，而且同时存在，假使没有前者，就不能有后者。同样的无产阶级的妇女运动也和资产阶级的妇女运动同时发生，而且同时存在，不过前者是受资产阶级的迫害而不能得到顺利的发展罢了。

所谓无产阶级的妇女运动，乃是社会主义的妇女解放运动。这运动的主力军是女工，但是觉悟的中小资产阶级的知识妇女，也成为这运动的主要成分。这运动的特征是把妇女解放运动和阶级的解放运动看作统一的一个连锁，因此这运动在发生的时候已具有阶级色彩和革命的特质。

这里为着观察上的便利，我们不妨把这运动的发展过程，分作以下三个主要时期而加以叙述。

第一时期是产业革命的时期。这是无产妇女运动的自然生长时期。在这时期中资本主义已经完成了近代的机械的生产装置，而大量的需要廉价的不熟练劳动力，于是女工及童工的数目大增，女工已经成了某些部门的主要产业军，同时形成了无产阶级的妇女运动的主导的力量。虽然如此，在此时无产阶级甚幼稚，阶级力量很薄弱，阶级的政治尚未确立，因此它的斗争也不得不局限于地方的，个别的，组合主义的斗争，而要以自己的力量改造整个社会的有目的有意识的政治斗争不能展开。欧文、傅立叶等的所谓空想的社会主义可以看作当时无产阶级的意识形态的反映物。所以当时无产阶级的妇女运动亦只限于女工运动，而不能发起以她们的力量解放全体妇女的意识的运动。

无产阶级的妇女运动，也不能不从法国革命说起，因为当时雅哥宾党的女党员拉哥姆布是显然代表无产阶级妇女的利益，她是领导巴黎郊外的劳动妇女参加革命的斗争，并且组织“革命妇女俱乐部”，教育劳苦妇女大众。不过，这仅仅是代表无产妇女的初期的运动，到革命后受反动势力的摧残，归于消灭。

可是从此以后，在欧洲诸国就发生种种形式的女工运动。特别到十九世纪中叶，各地的女工组织种种团体，同当时的男工一样，提出种种经济的要求，向资本家斗争，或要求增加工资，或要求改善待遇，或要求减少劳动时间，或要求加入工会。但这种运动，在很短的时期中，的确受过男工方面的排斥，因为在男工方面看来，女工运动的发展似乎侵害到他们的利益。这就是当时工人阶级的阶级意识尚未正确的表现。不过这只是一时的现象。不久以后男工方面不单容许女工加入工会，并且更进一步援助和推进妇女的劳动运动。

在这时期中，英国的欧文，法国的傅立叶、圣西门、路易布朗等空想的社会主义者给与无产阶级妇女运动的影响甚大。这些人是常常站在无产妇女的立场，教育她们，提醒她们，而且援助她们去斗争。特别欧文在妇女的劳动立法方面有极大功绩。不过，这些空想的社会主义者对于妇女问题的见解是非常不够的，他们只在空泛的"人类爱"的见地，主张解放妇女，而没有正确的理解到妇女所以被压迫的原因乃在于不合理的社会制度，因此他们并不能使女工运动的经济斗争，提高到政治斗争的水准。

第二时期是巴黎公社时期。这是无产阶级的妇女运动开始进入有目的，有意识的政治斗争的时期。在这时期中欧洲的无产阶级，随着资本主义的发展，大大增进其阶级力量，确立自己阶级的人生观和社会观即科学的社会主义，同时清算了从来的组合主义的经济斗争，而实行以自己的力量来改革整个社会的有目的有意识的政治斗争。这种斗争的指导机关就是各国的无产党及当时的第一国际。所谓巴黎公社乃是这种政治斗争的具体的表现。在这种客观形势中，无产阶级的妇女运动也转换其斗争方向，放弃了从来只局限于女工的运动，而进一步展开了无产阶级领导下的广泛的妇女运动。详言之，各国的无产政党设置妇女部或妇女委员会，领导社会各阶层的妇女去参加改革社会的运动。

在这个时期中，各国发生了许多在无产政党指导下的妇女团体，例如英国的劳动党指导之下的“妇女政治及社会联盟”，美国的“各国劳动妇女联合会”等为其最显著者。此称妇女团体的成分，当以女工为主要，但还包含着许多中小资产层的知识妇女。她们是把妇女运动看作社会革命运动的一环，而在这革命运动中要争取妇女的解放，这显然是和资产阶级妇女的女权运动有着本质上的差别。这种运动在各国受着资产阶级的残酷的压迫，而得不到顺利的发展是不待言的。

无产阶级的妇女运动，最终的，主要的目标自然是推翻财产私有的阶级的社会制度，同时要采取革命的手段来达到这个目标。但在指导她们的政党能够公开存在的限度内，一切合法的公开的运动也不放松的。详言之，妇女的参政运动，职业运动，教育运动及其他一切有利于妇女大众的运动，都能运用合法的手段而进行，因为真正的无产阶级的妇女运动者是连一点一滴的妇女大众的利益也不放弃的，而且只有这样才能使广大的妇女群众集中到革命的阵营里面来。许多妇女运动理论家们，往往把妇女的参政，职业，教育等等运动看作女权运动者独担的事业，但这是错误的见解。事实上这些运动的大部分是由无产阶级的妇女运动所推进促成的。例如上述有名的英国“妇女政治及社会联盟”是最激烈的实行妇女参政运动的团体。

到了二十世纪初叶，在无产阶级妇女运动方面产生了许多优秀的领袖。其中最值得我们推崇的，就是德国的蔡特金女士。此外罗森堡，克鲁布斯伽耶，哥伦泰等诸女士，对于无产妇女运动都有了极大的贡献。她们不仅仅是妇女运动者，而且是世界最初的社会主义国家苏联的创造者。她们的实践的指导精神，直至今日，还在影响着世界社会主义的妇女解放运动。

第三时期是苏联十月革命的时期。这是苏联七千万妇女在无产阶级领导之下，完全获得解放的时期。在这时期中，一方面各资本主义国家中出现了法西斯蒂的独裁政权，而大多数妇女大众受着极度的压迫与摧残，但另一方面苏联的十月革命，遂解决了从来资本主义社会所不能解决的妇女问题，而指示全世界被压迫妇女大众以光明的解放前途。这种情势使资本主义世界的妇女大众，有意识的集中到社会主义的妇女解放运动的阵营里面来，按照着十月革命的路线前进。

事实上，自从十月革命以后，世界各国的妇女解放运动，已经大部分在无产阶级领导之下进行，这种妇女运动和社会革命运动很紧密的联系起来。它的主要任务就是除了反对回到家庭，反对贤妻良母主义等特殊任务外，还有反对帝国主义，反对侵略战争，反对法西斯蒂等一般的任务。

综上所述，无产阶级的妇女运动，即社会主义的妇女解放运动，是以女工运动为中心，在初期由女工运动开始，到了中期发展成广泛的社会主义的妇女运动，最后经过十月革命的胜利，遂完全确立了世界妇女运动的指导地位。现在谁都不能否认，只有无产阶级的妇女运动才能真正的解放妇女大众。

第十二讲　中国妇女运动的回顾与展望

第一节　中国女权运动的生长及没落

我国妇女运动，也和西欧先进诸国的妇女运动一样，随着资产阶级民主主义思想的抬头而发生。因此它在发生之初，便成为民主主义运动的一翼，而执行了反对封建的专制主义的任务。这就是普通所谓女权主义的运动。

女权主义运动，在先进诸国，一般带有民权革命的性质，而其任务，主要的是反封建的，但中国的女权运动除了这种性质与任务外，更带民族革命的性质和打倒帝国主义的任务。这点可以说是半殖民地妇女运动的特质，我们若要规定我国妇女运动的性质与任务，决不可忽视这一基本的特质。

回顾我国女权运动的史迹，可分为如下的三个历史阶段。

（一）发生阶段——辛亥革命前后，民族资产阶级的政治的抬头时期。

（二）发展阶段——“五四运动”前后，民族资产阶级革命的飞跃时期。

（三）没落阶段——“五卅运动”以后，民族资产阶级革命迅速通过顶点，跑入没落时期。

这种历史阶段的划分方法，自然是因各个人看法的相异而有所不同，但是由我看来，以上三个阶段，不单和我国社会经济的发展阶段，正相符合，并且是和民主主义的思潮及运动的高低与消长，亦相适应。我们且将这三个阶段的历史事实，加以简括的分析与批判。

（一）发生阶段　倘若我们要正确地理解我国女权运动的过程，非先明了它的经济的及社会的背景不可，因为妇女问题原是社会问题之一环，社会经济的变迁及发展，直接的反映到妇女运动上面来！

大家晓得，我国过去是个封建国家。地主、官僚、贵族三位一体的封建专制政府，高筑长城，深锁国门，尽量榨取多数农民大众的血汗，任意牺牲无数妇女的性命，穷奢极侈，尽情欢乐！在这种社会，既无所谓妇女运动，亦无所谓民主主义的活动，只有封建绝对主义在横行，肆虐！

可是到了十九世纪中叶，西欧资本主义的魔手伸张到了东亚大陆，造成了一八三九年的鸦片战争，英帝国主义的炮舰进攻两粤，侵袭江浙，打破了我国深锁着的国门，同时打破了数千年悠久的封建专制的迷梦。这战争的结果，把中国编入于资本主义世界的体系之中，而作成了帝国主义的商品及原料市场！从此以后，外来的资本主义的生产方法，强制的替代了封建的生产方法，在沿海各通商口岸，先后建设近代的工商业都市，而资本主义的商品经济：渐次支配了封建的农业经济，封建制度的经济基础，才发生了根本的动摇！尤其经过了一八九四年的中日战争及一九〇四年的俄日战争，更完全暴露了满清政府的无力。这样一面开始了封建制度的瓦解，一面打开了殖民地化的前途！

不过，这样一方面社会基础在急激转变，他方面在强制资本主义化的过程中，我国民族资本却也得到了生长与发展的机会。在十九世纪末至二十世纪初，南洋及沿海各工商业都市中，民族的工商业已经打定了相当的基础，而这一群工商市民是很敏感的吸收了西欧资本主义的文明，并且确定了民主主义或自由主义的世界观。他们为着自身的存在与发展：封建的满清政府和帝国主义，便成为他们前途的最大障碍物。于是他们抱着在中国建立独立的民主国家的理想，而开始了反帝反清的政治运动。

同时，民族资产阶级所举起的民主主义的旗子，也被被压迫妇女大众所热烈欢迎，她们都很勇敢的参加了他们的战线——反清反帝的革命战线，像有名的秋瑾女士那样的女革命党人，她们的活跃情形，留给了人们以很深刻的印像，她们火一般的革命热情，鼓动宣传的魔力，赴汤蹈火的勇气，实在使从来鄙视妇女的男人们低首致敬！她们确实认识到自己是“人”，而以“堂堂的一个人”的资格，一个国民的资格，执行了民族革命的任务。这样，我国的女权运动，就在热烈的民族解放运动的氛围中，发芽而滋长起来了。

到了一九一一年辛亥革命成功，南京组织临时政府，制定约法的时候，参加革命运动的妇女们要求在约法上规定妇女的参政权利，可是参议院却把她们的要求拒绝，这好像十八世纪末法国大革命时代，国民议会拒绝妇女参政权的要求一样，是有历史的意义的。总之传统的男权社会在革命时期是要求妇女们参加的，但到革命成功，分配政权的时候，便很干脆地把妇女排除于政治圈外！这原是资产阶级德谟克拉西的本来面目！当时勇敢的女权运动者们，忿于男权社会的欺骗伎俩，遂采取暴力手段，捣毁参议院的窗户什物，表示反对男权中心的假民主主义的约法！

这样，到了民国二年南京临时政府实行第二次革命，而这次运动竟为北洋反动军阀所镇压下去，中部及南部的革命势力亦被一鼓荡平！于是轰烈一时的初期女权运动亦跟着民主主义运动的消沉而衰颓下去了。

在这一历史阶段中，我们应该认识到以下的两点教训。即第一，南京临时政权的失败，是表明当时的民族资产阶级（即民主主义的势力），尚未成熟到能统治全国的程度，他方面簇生的大小军阀和帝国主义却在庞大的满清的废墟上，大大地勾结，而很快的完成了反革命的阵线。第二，因为民族资产阶级尚在幼稚期，整个社会还处于顽固的封建势力支配之下，所以女权运动的主观力量亦极其薄弱。详言之，当时在各工商业都市中，虽则女工及经济上自立的妇女日见增加，但是数目尚在少数，因此女权运动的大众基础并未稳固，这是一点。二，当时国民普通教育制度还未成立，受“现代教育”的妇女甚少，因此女权运动给与妇女界的影响极有限度。第三，女权主义者自身虽则热烈的欢迎资本主义的科学文明，但她们大都是较进步的商工市民或失意的士大夫家庭的闺秀出身，只有革命的热情，而缺少关于妇女问题的基本知识。她们只知道妇女也是“人”，应当享受“人”的权利，而不能理解到妇女之处于“非人”的地位是由于不合理的财产私有制度及阶级制度。以上三点乃是初期妇女运动的弱点。

（二）发展阶段　南京临时政权失败，封建军阀抬头以后，各帝国主义国家，加紧实行其侵略政策！他们都想利用军阀这工具，以保持或扩张他们在华的势力。可是正在这个时候，欧洲大战发生，各帝国主义者如英、法、德、俄等等无暇东顾，我国民族资本便得到了进一步发展的机会了！虽则在此时期袁世凯称帝于北京，而有日本的趁火打劫似的“二十一条约”，但一般说来，民族的工商业蒸蒸日上，资本主义化过程格外迅速。自一九一四年大战发生至一九二五年欧战后各国恢复生产装置为止；整整十年间，是我国民族资本的飞跃发展的时期。处在这黄金时代的民族资产阶级，对于建立独立的民主国家，以确立其支配权的欲求，格外强烈起来，于是在战后一九一九年巴黎开和平会议，美国大总统威尔逊提出“国家独立，民族自决”的议案的时候，我们国内发动了轰轰烈烈的“五四运动”。而久已销声匿迹的女权运动者们，在这“五四”的民族革命的热烈的氛围中跳跃起来了！

我们在上面说过，女权运动是资产阶级民主主义运动的一支派，因此它是随着民主主义运动的消长而消长。很显然的，我国女权运动，是和民族资产阶级的民族解放运动，有着不可分离的关系。也可以说：它是跟着民族解放运动的高涨而高涨，或跟着它的消沉而消沉！

参加“五四运动”的女权运动，其主要任务也就是反帝反封建，它不单有民主革命的性质，同时有民族革命的性质，因此她们不单要打倒封建礼教，主张女子的人权，又不单要打倒军阀，建立民主国家，更进而要打倒帝国主义，解放中华民族！这是半殖民地中国妇女运动的基本特质！

在“五四”时重整旗鼓的女权运动，一直发展到“五卅”。这时期女权运动的主要纲领，除了反帝反军阀的原则纲领外，大部分是和先进诸国的女权运动同样，是恋爱及结婚自由，教育权平等，要求参政权，劳动及职业自由，法律上平等权利等等。她们在各地组织妇女团体，发行刊物，很勇敢的，活泼地跳上了社会舞台。同男子比武角逐！

在这一阶段中女权运动飞跃的进展，其主要原因固然是民族资产阶级的民族革命的飞跃高涨，但此外必须举出以下数点主观的原因，即第一点，在急速的资本主义化过程中，女工及从事自由职业的独立女性，数目大见增多，而巩固了妇女运动的大众基础；第二点，民国元年所制定的普通教育制度渐次普遍实施，知识妇女跟着增多；第三点，邻邦苏俄的革命，给与我国青年思想界的刺激特别深刻，在知识妇女层中开始感染了社会主义思想。由这些原因，推动了女权运动，到了“五卅”大有登峰造极之概。

（三）没落阶段　乘着欧洲大战的机会，充实了阶级力量的民族资产阶级，发动了“五四运动”以后，继续进行其反帝反封建的历史使命。他们经过艰苦的斗争，在南中国建立革命政府，准备发动大规模的民族革命战争。在这时期，国际方面有邻邦苏俄革命气焰之高涨，在欧洲各国尚处于战后疲敝的状态，国内方面有张、吴军阀的混战，民怨沸腾，但另一面受着邻邦革命的影响，社会运动风起云涌，于是乎南方的国民革命的势力遂和全国的社会运动结合起来，遂行了伟大的“五卅”及北伐运动。在这运动中女权主义者不但参加了反帝反军阀的示威运动，并且参加秘密团体，参加北伐军，织组救获队，更进而荷枪佩刀，冲锋陷阵的女英雄亦屡见不鲜！她们都以为，先把帝国主义及军阀打倒，然后再同男子争权利。大家很希望而且自信国民革命将见告成！

可是到此时（一九二六——一九二七年），西欧帝国主义各国已经克复了战后的疲敝，而其侵略的魔手重新伸张到东亚大陆。他们看中国民族革命的高涨，尤其苏联革命势力的东进，遂大起恐慌，立即以迅雷不及掩耳的手段，压迫和怀柔中国的资产阶级，结果是成功了！民族革命的势力遂为拆散，在革命战线内部发生了自相残杀的历史的悲剧！

我们的女权运动者们，本来只知道民族，只知道男女间的不平等，而不晓得男子和男子间也有不平等的事实，妇女与妇女间也有人在压迫人。可是她们直接经验了民族运动战线上自相残杀的残忍的悲剧，便很敏感的觉悟到她们自身的社会的属性。当此时在她们面前只有两条路可以自由选择，即一条是牺牲自己所属的阶层，而同革命大众一起去完成民族革命，同时完成真正的妇女解放，另一条路是低头于帝国主义，同封建势力妥协，而好好的做半殖民地的女奴隶。可是她们竟选择了后者，她们竟放弃了反帝反封建的任务了！

我们看，北伐运动以后，我们的女权运动者们差不多全部都烟消云散了！有的去当官太太，有的去当职业妇女，自然还有一部分得意的女权主义者，在谈谈妇女的事情，组织妇女团体，但是她们都已经取消了妇女运动。她们不单失去了民族的灵魂，同时忘却妇女特负的使命！我国的女权运动，于是乎没落了！

第二节　现阶段我国妇女运动的动向

“妇女问题是社会问题的一环”，假使说，这一定义是不错的话，那么目前的客观的及主观的社会情势，无疑的是决定目前我国妇女运动的动向。

很显然的，我国妇女运动到了现阶段，和前一个阶段比较起来，不论在它的思想内容上，或运动方式上都有着飞跃的变动，而充分表示了现阶段的历史的特质。

大家都晓得，我国妇女运动最初以“打倒满清”运动为契机而发生于辛亥革命时代，到了“五四运动”前后，随着民族资产阶级的革命的昂扬而遂行高潮的发展，再到“五卅”及北伐运动之后，民族解放战线内部发生剧烈的分化，妇女运动也跟着瓦解消沉！这就是过去妇女运动的几个主要历史阶段。

可是到了一九三一年，一方面世界经济恐慌波及中国，继而发生“九·一八”及“一·二八”事变，整个民族国家陷于空前的危机，他方面被压迫大众的解放运动在空前的发展，而到来了新的革命高潮。从这个时候起，妇女运动便开始踏进了现阶段的第一步。

自从“五卅运动”以后到现在整整十年间，是我国民族运动实行“方向转换”的时期。在这一时期中，我们的新兴资产阶级放弃了反帝反封建的历史的使命，反而和帝国主义及封建势力相妥协，而想在妥协的改良主义的民族运动中求出路。结果，一方面使帝国主义的侵略政策得到空前的成功，就是各帝国主义在中国的经济的及政治的支配权益形巩固，特别日本帝国主义强占东北，更侵袭华北；他方面让封建残余势力得到重新抬头的机会，例如各地仍旧保持割据局面，土豪劣绅横行肆虐，特别提倡复古运动，以防止新文化运动的进展。这一切内在及外来的逆行势力的扩大，必然的而且很快的造成了目前整个民族的空前危机。

可是在同一时期中，真正的民族解放运动却丝毫不曾停止。它是经过种种理论的及实际的艰苦争斗，彻底的扬弃了妥协的改良主义的民族运动，而把运动的基础安放在大多数被压迫大众身上，这样就建立了彻底执行反帝反封建斗争的新的革命阵线。这样的客观的及主观的社会情势，是必然的产生以下三种不同的妇女运动，即（一）改良主义的妇女运动，（二）复古主义的妇女运动，（三）新的妇女解放运动。

第一，改良主义的妇女运动　改良主义的妇女运动也是一种女权运动，不过它是前阶段的革命的女权主义运动的退化物罢了。我们知道，所谓女权主义运动是资产阶级民主主义运动的支流，在资产阶级起来打倒封建制度的时候，它是执行了革命的反封建的任务，这种实例在先进诸国都可以看到。我国也是同样，当民族资产阶级领导反帝反封建运动的时候（例如辛亥革命，“五四”及“五卅”运动时代），女权主义者都很热烈的参加革命的斗争，可是到北伐运动以后，它便随着资产阶级的革命的退潮而消沉了！革命的女权主义运动遂变化成妥协的改良主义的女权运动。拥护现存的社会秩序，主张在现存秩序之下，应用改良主义的方法来获得妇女的解放。于是乎她们提倡妇女的知能的修养，开妇女学校，办温和的妇女杂志，特别注重妇女的家事教育及其他职业教育。尤其是她们对于现存秩序所赐予她们的一些权利认为非常满意，例如法律上空洞的妇女参政权，财产承继权，离婚权，通奸起诉权等。

改良主义妇女运动很充分的表现殖民地资产阶级妇女运动的典型的特质，它想反对帝国主义，但是已经失去反对帝国主义的勇气；它想反对封建势力，但是不得不和封建的旧礼教妥协，同时她们仍然不甘放弃自由主义或民主主义的思想，因此只好在改良主义的幌子底下徘徊逡巡。

第二，复古主义的妇女运动　虽则说复古主义，但这倒是最新鲜的舶来品。换句话说，所谓复古主义的妇女运动乃是希特勒主义的妇女运动的输入或复写。但它在我国，的确也有多少社会的根据的。

自从一九三一年资本主义世界的经济恐慌侵入我国，各帝国主义国家强化其对华侵略政策以后，民族危机日益加深，于是同封建势力媾合的殖民地买办者群，想借希特勒主义的民族运动，来麻醉并镇压革命青年。在这种社会背景之下遂产生了以“民族复兴”为幌子的复古主义的妇女运动。

复古主义的妇女运动最先提出的口号便是要“娜

拉”回家，即是主张妇女回到家庭去，做贤妻良母，做生育机器。她们以为这就是妇女的“天职”！她们的大前提是民族的繁荣，为着实现这个大前提，不能不首先牺牲妇女的社会权利。妇女只好在家里安慰丈夫，生育子女：以尽繁殖民族的天赋职责！所以妇女不应当到社会里去找职业，也不需要受高深的教育（何子恒君的意见），更不可参加什么反帝反封建的运动了！至于妇女在公法及私法上与男子平等的问题，以及妇女的劳动问题，她们都没有兴趣提起，她们只高兴喊叫民族的繁荣！叫妇女们去为民族的繁荣而牺牲！她们似乎不曾想到所谓民族的半数乃是妇女！仿佛只有男子才配得上称民族！

我国的复古主义的妇女运动在最近数年来，比较希特勒主义的妇女运动，实行得更为刻薄而可恶！前北平市长的禁止男女同学，广州市长的提倡妇女新“四德”，在各地提倡节妇孝女以及干涉妇女的头发及服饰等等，虽不就是某某妇女团体直接提倡；但这就是复古主义的妇女运动的必然的结果。可是希特勒只要求妇女从工场回到家庭，并不曾干涉到妇女同男子一块游泳的琐事。

在这点上，可以看到即使希特勒主义，到了半封建殖民地的中国，就不得不发生“质”与“量”的变化了！

第三，新的妇女解放运动　新的妇女解放运动是真正的民族解放运动的一翼，它是从“五卅”前后飞跃发展的我国社会运动的胚胎中孵化出来，和整个的社会运动合流，结局汇合到现阶段的民族解放运动的革命高潮。

新的妇女解放运动是首先以社会科学为它的理论的基础，着手执行从来女权主义的批判及妇女问题的再认识的理论斗争，同时把运动的基础放在大多数被压迫妇女大众上面。这样激烈的清算从来的女权运动，而确立了现阶段妇女运动的主导的地位。很显然的，在目前虽则有所谓改良主义的以及复古主义的妇女运动，但它们早已失去了妇女大众的基础，已经不能代表妇女大众的意思，它们所能做得到的只不过一些带着御用性质的工作罢了。只有新的妇女运动才能正确的把握被压迫妇女大众的愿望，而教育她们，指导她们，使她们踏进解放之路。

新的妇女运动，在思想斗争上得到了压倒的胜利，在女权运动时代，关于妇女问题的理论非常空洞而贫弱的。她们并不能正确的认识妇女问题的本质，而以女权对立于男权，以男子为压迫的对象要从抽象的“性的关系”中求其解放。可是新的妇女运动者是很正确的把妇女问题看作社会问题的一环，同时指出了在社会问题未曾解决之前，妇女问题决不能单独解决。这一命题似乎已经公式化，而且觉得太平凡，但这无疑的是已经成了现阶段妇女运动的指导精神。

尤其，在运动的方式上，也和女权运动截然不同。就是说，从来的女权运动是以少数知识份子及学生群众为中心队伍，而且其主要纲领为参政权，结婚及离婚权，财产承继权等的获得，可是，新兴妇女运动是以大多数劳动妇女，职业妇女及女店员等被压迫妇女为中心势力，而且其主要纲领除了一般的反帝反封建的任务外，特别提出同一劳动同一报酬，母性及儿童保护，失业保障等等。尤其这运动是和整个社会运动相辅而行，这也是它的进步的特征。

一九三七年七月七日开始的全民抗战，开辟了中国历史的新时代，也开辟了中国妇女运动的新时期，日本帝国主义的疯狂侵略，陷我们民族生命于危亡绝续之境，这情况，唤起了全国各阶层的被压迫民众，也唤起了被压迫的中国妇女大众，动员全国爱国人民，直接地反抗侵略暴行，成为中国人民的历史课题。在这一大前提之下，统一起来的中国妇女运动，勇敢地担负起了艰巨的历史任务：大量地参加生产工作，战时服务工作，救护慰劳工作，儿童保育工作，征募，救济，宣传以至肃奸自卫工作等等，激起了妇女运动的新高潮。

中国妇女运动的踏上现实的战斗的道路，是中国妇女运动新阶段的特点，也是一般殖民地半殖民地妇女运动要求发展的必要前提。但是，一切革命运动的发展路线是迂回曲折的，新阶段的妇女运动，仍有其复杂的内容，“妇女问题是社会问题的一环”，中国妇女运动，仍将以中国民族革命运动的发展路向为依归，为要达到中国妇女的彻底解放，必须和中国民族争取民主自由和解放的斗争紧密地联系在一起，而坚持抗战，坚决地参加各种现实的战斗，便成为中国妇女运动新阶段的中心任务。

现实是伟大的，战斗是残酷的，中国的妇女大众是经得起历史的考验的。因此，中国妇女运动有着光明的前途！

三联经典文库第二辑简目

《游击战教程》　明凡 / 著

《游击战术纲要》　陶剑青 / 编著

《汪精卫卖国的理论与实践》　钱俊瑞 / 著

《抗战以来》　韬奋 / 著

《陕行纪实》　楚云 / 著

《随军散记》　沙汀 / 著

《被日寇囚系半载记》　王研石 / 著

《倭营历险记》　房沧浪 / 著

《活跃的新西北》　田影 / 编著

《保卫华北的游击战》　刘清扬　陈北鸥等 / 著

《徐州突围》　《徐州突围》编委会 / 编

《沦亡的平津》　长江　小方等 / 著

《淞沪火线上》　胡兰畦等 / 著

《瞻回东战场》　长江　罗平 / 著

《东线的撤退》　胡兰畦等 / 著

《抗战中的西北》　徐盈 / 著

《鲁闽风云》　徐盈等 / 著

《西线生活》　西北战地服务团集体创作

《中国解放区见闻》　［美］福尔曼著 / 朱进译

《全面抗战论》　潘汉年 / 著

《日本的间谍》　范士白自述 / 尊闻译

《日本大陆政策的真面目》　国难资料编辑社 / 编

《民众动员论》　李公朴 / 著

《中国外交史》　钱亦石 / 编著

《太平洋军事地理》　蒋震华 / 著

《世界经济地理讲话》　思慕 / 著

《列强军力论》　［德］马克斯·威纳尔著 / 宾符　仲持　梅益等译

《近代国际关系史》　张铁生 / 著

《太平洋现势手册》　沈志远　石啸冲 / 编著

《近代世界政治史》　钱亦石 / 著

《从战争到和平——一九四五年的世界政治》　乔木 / 著

《战后日本问题》　思慕 / 著

《最近一年间的国际动态（1946.7–1947.6）》　《东北日报》社 / 编

《论政党》　翟放 / 著

《法与宪法》　韩幽桐 / 编著

《中华民国宪法刍议》　罗家衡 / 著

《民主·宪法·人权——作之民》　费孝通 / 著

《宪法论初步》　潘念之 / 著

《对反民主的抗争》　韬奋 / 著

《农村改进的理论与实际》　江恒源 / 著

《上海产业与上海职工》(上下)　　朱邦兴　胡林阁　徐声 / 合编

《陶行知教育论文选辑》　　陶行知著 / 方与严编

《中国通货膨胀论》　　杨培新 / 著

《中国及其未完成的革命》　　H·普拉特著 / 蒋天佐译

《中国的建设问题与人的训练》　　卢作孚 / 著

《论中国特殊性及其他》　　艾思奇 / 著

《中国经济问题讲话》　　钱俊瑞　徐雪寒　王渔邨　姜君辰　骆耕漠 / 合著

《中国经济的道路》　　许涤新 / 著

《中国财政之病态及其批判》　　孙怀仁 / 著

《官僚资本论》　　许涤新 / 著

《五四运动之史的评价》　　陈端志 / 著

《中国通史简编》(上下)　　中国历史研究会　范文澜 / 主编

《论文学的工农兵方向——读〈在延安文艺座谈会上的讲话〉》　雪苇 / 著

《中国近代史(上编　第一分册)》　　武波 / 编著

《文学百题》　　傅东华 / 编

《中国史学之进化》　　周谷城 / 著

《论民族形式问题》　　胡风 / 著

《论批评》　　荃麟等 / 著

《中国史纲》(第一卷上下、第二卷上下)　　翦伯赞 / 著

《近代中国思想学说史》(1–4)　　侯外庐 / 著

《中国政治思想史》(上下)　　吕振羽 / 著

《中国哲学史纲要》　　向林冰 / 著

《中国政治史讲话》　　钱亦石 / 著

《中国社会经济史纲》　　王渔邨 / 著

《新财政学大纲》　　千家驹 / 著

《太平天国革命运动论文集——金田起义百周年纪念》

　华北大学历史研究室 / 编

《理性与自由——文化思想批评论文集》　　胡绳 / 著

《战斗者的诗人》　　黄药眠 / 著

《国语文法》　　曹朴 / 著

《教育哲学》　　张栗原 / 著

《妇女问题讲话》　　杜君慧 / 著

《婚姻 · 子女 · 继承》　　沙千里 / 著

《性教育新论》　　布士克　雅各生合著 / 董秋斯译

《狱中杂感》　　杜重远 / 著

《七人之狱》　　沙千里 / 著

《爱迪生传》　　伍况甫 / 译

《歌德自传》(上下)　　歌德著 / 思慕译

《尼赫鲁自传》　　［印度］尼赫鲁著 / 毕来译

《列宁传》　　［苏］凯尔任采夫著 / 企程　朔望译

《罗斯福总统传》　　C. Mackenzie 著 / 张尚之译

《托尔斯泰传》(1–3)　　［英］阿尔麦 · 莫德著 / 徐迟译

《革命文豪高尔基》　［美］亚历山大 · 康恩著 / 韬奋编译

《鲁迅纪念特辑》　新中国文艺社 / 编

《回忆鲁迅先生》　萧红 / 著

《人民文豪鲁迅》　平心 / 著

《亡友鲁迅印象记》　许寿裳 / 著

《鲁迅思想研究》　何干之 / 著

《鲁迅研究》　夏征农 / 编

《过来的时代：鲁迅论及其他》　雪峰 / 著

《电影戏剧表演术》　洪深 / 著

《日常心理漫谈》　［美］约瑟夫·查斯特罗著 / 曾宝葹译

《心理常识漫话》　朱智贤　杨云美 / 著

《读书的方法与经验》　王任叔 / 著

《美国黑人生活纪实》　［美］加德维尔　斯坦倍克著 / 董秋斯译

《初访美国》　费孝通 / 著

《事业与成功》　［美］马尔腾著 / 汪原放译

《萍踪寄语（初集）》　韬奋 / 著

《一生的幸福前途——〈生活周刊〉信箱选集》　生活书店 / 编选

《深刻的印象》　生活周刊社 / 编

《海外的感受》　生活书店编译所 / 编